Les dépendances

Bien-être

Deirdre Boyd

Les dépendances

Adapté par Atelier Brigitte Arnaud
Traduit de l'anglais par Emmanuèle de Lesseps

Les guides essentiels

Les informations données dans ce livre, comme d'ailleurs dans tous les ouvrages de cette collection, ne se substituent pas à la consultation d'un praticien. Une personne souffrant d'une affection exigeant une surveillance médicale doit, en tout état de cause, prendre rendez-vous auprès d'un praticien ou d'un thérapeute qualifié.

Titre original :
ADDICTIONS
First published in Great Britain in 1998
by Element Books Limited, Shaftesbury, Dorset

Sommaire

Introduction

Rien que pour aujourd'hui, je vais me permettre d'être aussi heureux (heureuse) que je veux l'être.
« *Rien que pour aujourd'hui* », Alcooliques Anonymes

La dépendance est probablement la seule maladie qu'il faut comprendre pour en guérir. Lorsque vous aurez terminé ce livre, vous aurez certainement cette compréhension. Ce petit ouvrage contient les plus récentes informations des meilleures sources auxquelles je peux avoir accès et le lecteur sera aussi informé que bien des spécialistes de ce domaine.

Les personnes atteintes, leur famille et leurs amis se sentent en général condamnés à regarder, impuissants, les dégâts occasionnés par le dépendant sur lui-même et sur autrui, incapables d'intervenir. Ce livre a pour but d'expliquer ce qui se passe, d'évacuer ce sentiment d'impuissance et de guider le ou la malade ainsi que ses proches vers des sources d'aide et de soutien et vers la paix de l'esprit.

Le chapitre 1 identifie les traits communs à toutes les dépendances, montrant qu'à des maux similaires correspondent des solutions similaires et des sources d'aide communes.

Le chapitre 2 fournit un répertoire de symptômes liés à des formes spécifiques de dépendance, qu'elle soit chimique (alcool, drogues) ou non chimique (besoin envahissant de manger, de travailler, de jouer de l'argent ou de courir les magasins, par exemple), et à des désordres de type obsessionnel-compulsif.

Le chapitre 3 examine les « causes » de la dépendance. Les recherches menées ces dernières années montrent que la dépendance, à un produit aussi bien qu'à un comportement, est liée à des déséquilibres chimiques qui préexistent dans le corps. Chez les drogués (dépendants) potentiels, le niveau des substances naturelles qui produisent une sensation de bien-être est plus bas que la moyenne. Ils ne peuvent « se sentir bien » qu'en usant de produits artificiels qui déclenchent ces afflux chimiques, mais en même temps induisent le processus de la dépendance. Apprendre comment fonctionne cette chaîne chimique peut nous aider à comprendre que l'arrêt du processus n'a rien à voir avec la volonté ou l'intelligence mais consiste uniquement à ne pas prendre cette « première » boisson ou drogue ou tel autre ersatz qui actionne la chaîne chimique.

On peut faire remonter la cause de ces bas niveaux de « substances du bien-être » à des événements de l'enfance. En les examinant avec du recul, on peut les remettre en contexte et y réagir de façon positive, ce qui fait remonter naturellement le niveau des substances « euphorisantes ».

Le chapitre 4 décrit les tactiques à mettre en œuvre en cas d'urgence, quand vous sentez que vous devez prendre votre drogue.

Le chapitre 5 montre comment ériger des « frontières », des murs invisibles de sécurité physique et affective, qui vous protégeront pendant l'apprentissage de ces tactiques et des stratégies à plus long terme décrites dans le chapitre 6. Ces recours sont précieux pour qui ne suit pas de thérapie avec un professionnel ou dans un cadre spécialisé, ou utiles entre les séances de thérapie, et vous permettent de vérifier votre capacité à améliorer la situation par vous-même.

S'il existe un groupe de « Douze Étapes » pour votre problème particulier, vous n'aurez pas forcément besoin d'une aide professionnelle car il vous soutiendra dans votre autothérapie et vous suggérera de nouvelles voies de guérison. Le chapitre 7 explique en quoi consiste la méthode des Douze Étapes et ce que le groupe peut vous apporter.

Si, en dépit des moyens susmentionnés, vous constatez que vous n'arrivez toujours pas à « décrocher », il est temps de rechercher une aide professionnelle. Le chapitre 8 détaille les différents modes de thérapie disponibles : individuelle ou de groupe, traitement de jour ou hospitalisation. Il vous indique aussi comment choisir la méthode adéquate et ce à quoi vous pouvez vous attendre au cours du processus de rétablissement.

L'Annexe I traite du cas particulier des adolescents. La plupart d'entre eux n'ont pas eu le temps ni l'occasion de répéter des comportements jusqu'au point de dégradation et de honte que connaissent les adultes victimes d'une accoutumance assez grave pour qu'ils recherchent de l'aide. Cependant, nous pouvons leur ouvrir les yeux et l'esprit sur la valeur d'une vie sans dépendance. Les délinquants, les criminels, dans le contexte judiciaire et pénal, refusent parfois l'idée d'une cure. L'approche des problèmes d'accoutumance chez les adolescents peut les concerner.

L'Annexe II traite des cas particuliers de « diagnostic double » : la dépendance peut masquer un autre type de désordre qui l'accompagne. Les désordres associés les plus courants sont la dépression, les troubles de la personnalité et la schizophrénie. Il est vital que ces cas soient diagnostiqués, un désordre double demandant une guérison double. Cette annexe s'étend sur une minorité souvent négligée : les handicapés physiques. On a trop tendance à y voir des cas d'exception quand il s'agit de drogue, d'alcoolisme ou d'une autre accoutumance maladive, comme si ces handicapés n'avaient pas d'autre recours possible pour améliorer leur vie difficile. Mais l'intoxication est la pire des infirmités et doit être traitée.

1

La dépendance sous toutes ses formes

Une femme accomplie : j'étais cadre supérieur dans une société multinationale, j'étais propriétaire de ma maison, j'avais un compagnon depuis sept ans. Je « réussissais ». Mais j'étais misérable. Ce que ne savait pas ma famille, c'est que je m'étais mise à boire au bureau, mettant mon travail en danger. J'avais deux mois d'arriérés pour rembourser mon prêt. Malgré un bon salaire, je ne parvenais pas à payer les factures. Mon ami devenait de plus en plus violent et insultant. Les gens cessèrent de m'inviter.

Catherine

– *J'ai grandi avec l'idée que la manie du travail était une vertu. Je déclinais les invitations parce que « j'avais du travail ». Je ratais les événements familiaux parce que « j'avais du travail » c'était la seule excuse que ma famille « travaillomane » pouvait à la fois comprendre et accepter. Pour finir, j'étais incapable d'avoir la moindre conversation si elle ne portait pas sur le travail. Je n'avais de rapports sociaux qu'avec mes collègues de travail. En dix-sept ans, je n'avais pris que trois semaines de congé. À moins de quarante ans, j'étais très seul.*

Je travaillais pour trois et pourtant je gagnais moins que mes homologues qui se contentaient d'un seul poste. J'avais peur, si je demandais une augmentation, de perdre mon boulot. J'étais comme un alcoolique qui serait payé pour boire, il ne m'était pas possible de mettre en question ma rémunération.

Vincent

On ne repère parfois qu'un indice ou deux de la dépendance, une impression que quelque chose ne tourne pas rond. La situation devient bien plus pénible si l'on attend, jusqu'à ce moment où l'on voudrait désespérément arrêter l'engrenage sans savoir comment. C'est également une souffrance de voir un proche sombrer dans la dégradation qui accompagne la dépendance devenue un mode de vie. Sur le parcours, tout le monde aura trinqué : disputes, colères, difficultés financières, humiliations sociales, stress, imprévisibilité, accidents et blessures, maladies physiques et psychiques.

La bonne nouvelle, c'est qu'il existe des solutions qui marchent. Et il n'est pas nécessaire d'en arriver au pire avant de les essayer pour renverser la situation.

Nous allons voir ce qui est commun à toutes les dépendances/intoxications et passer en revue les symptômes de la « codépendance » qui accompagne toute toxicomanie. La guérison de la codépendance fait partie de la guérison du comportement toxicomane.

Les traits communs

Tout d'abord, définissons la toxicomanie : dépendance à une substance ou à un comportement. Au départ, cela n'a rien à voir avec le manque de volonté ou d'intelligence. En fait, si vous êtes dépendant(e), vous avez probablement un potentiel de volonté et d'intelligence supérieur à la moyenne. On trouve dans ce domaine de nombreux paradoxes.

Si vous avez besoin d'une drogue, c'est que vous cherchez à fuir une douleur dont vous n'êtes plus vraiment conscient ou des souvenirs relégués à l'arrière-plan.

Les dépendants ont peu d'estime d'eux-mêmes. Ils peuvent se rejeter profondément, même s'ils présentent au monde un masque de réussite ; par exemple, les joueurs invétérés manifestent une assurance exagérée, liée à un sentiment de pouvoir et de contrôle sur les événements. Les dépendants éprouvent souvent de la honte et pensent qu'ils méritent d'être punis. Ils connaissent la solitude, peut-être encore plus quand ils sont entourés d'amis.

Les dépendants sont avant tout préoccupés par l'objet de leur intoxication, un produit ou une pratique. Ils passent une grande partie de leur temps non seulement à faire usage de cet objet, mais encore à prévoir son usage ou à se préoccuper de son abandon, à trouver les fonds nécessaires, ou des activités qui les en rapprocheront, et à chercher à réparer les conséquences de leur dernier « trip ».

Les dépendants sont attirés par ceux qui ont des habitudes similaires, de façon que leur comportement ne souffre pas trop de la comparaison.

Si vous êtes dépendant(e), vous avez sans doute déjà remarqué que vous êtes extrêmement sensible à l'approbation des autres. Malgré votre descente aux enfers, vous êtes, en général, un(e) perfectionniste.

La plupart des dépendants sont dissociés de leurs sentiments et de leur corps, au point de ne pas s'en rendre compte. Quand on leur demande comment ils se sentent, ils commencent par répondre « je crois que » ou « je pense que ». La réaction vient de l'intellect plutôt que du corps. Par exemple, avez-vous perturbé votre entourage par des crises de rage, puis démenti que vous étiez en colère, en y croyant ? Si quelqu'un a observé que vous n'étiez pas dans votre assiette, avez-vous nié avec conviction ?

À leur grand regret, les dépendants ne sont pas pour autant coupés de tout sentiment. Si vous êtes concerné(e) par ce livre, vous avez connu à l'excès la peur, la honte, la solitude, l'angoisse et un désespoir toujours plus accablant. Vos rares moments d'euphorie sont probablement liés à l'excitation nerveuse, à des montées d'adrénaline. Les fortes émotions peuvent en soi constituer une drogue et conduire à rechercher d'autres drogues.

Tous les dépendants ont besoin de « doses » de plus en plus fortes pour atteindre le même niveau d'euphorie ou d'intoxication. Vous tirez de moins en moins de satisfaction d'une dose identique. Presque tous les dépendants ont essayé de contrôler, réduire ou mettre fin à l'usage de leur drogue mais ils n'ont réussi, au mieux, que pour des périodes très limitées, en dépit de tous leurs efforts et de leurs meilleures intentions.

Vous (ou l'un de vos proches) avez pu compromettre ou perdre des relations importantes, des bonnes occasions, du travail. Vous (ou cette personne) avez peut-être dû solliciter plus d'une fois l'aide ou la caution de votre famille ou d'amis pour résoudre un problème financier ou autre, mais non celui de la dépendance elle-même.

Vous (ou cette personne) avez pu dire quelque chose comme : « Si vous aviez mes problèmes, vous aussi vous boiriez » (ou vous prendriez de la drogue, ou vous vous abandonneriez à telle habitude). On appelle cela du déni car c'est la boisson elle-même, ou telle autre dépendance, qui a parfois provoqué ces problèmes au départ.

L'observateur extérieur note un certain schéma de la dépendance : préoccupation envahissante, déni, besoin irrépressible, prise répétée de la drogue avec les comportements qui l'accompagnent, l'ensemble empirant régulièrement.

Je crois qu'une base de la dépendance est la souffrance qui n'a pu être exprimée dans l'enfance et qui s'est inconsciemment intensifiée au cours des ans. Cette souffrance peut provenir de violences physiques, sexuelles ou psychologiques, de la mort d'un être cher, d'une séparation ou d'un divorce. En retracer l'origine et s'en affliger consciemment, cette fois, est un signe certain de progrès.

La codépendance

Je n'ai jamais rencontré d'intoxiqué qui ne soit également codépendant. La codépendance, terme à la mode depuis les années 1980, désigne la propension à fixer son attention vers un « ailleurs », ce qui implique une dépendance aux autres êtres humains, accompagnée ou non de toxicomanie.

Le codépendant, dit-on, « est celui qui devine comment vous vous sentez avant de savoir comment il se sent lui-même ». On le définit encore par une autre plaisanterie : « Au moment où un codépendant va mourir, c'est la vie de quelqu'un d'autre qu'il voit défiler dans sa mémoire. » Un(e) codépendant(e) sortira son briquet avant même que la personne qui est en face de lui (d'elle) devine qu'elle veut fumer.

En d'autres termes, si vous êtes codépendant(e), les réactions des autres vous importent tant que, si vous n'arrivez pas à y faire face, vous pouvez aller jusqu'à vous droguer. Vous saurez maîtriser vos réactions face aux autres en apprenant à établir des « frontières », comme le montre le chapitre 5.

Les codépendants agissent comme s'ils avaient des perceptions extrasensorielles. Ils sont obnubilés par ce que les autres ressentent ou pourraient ressentir devant une situation, puis conditionnent leurs actes en fonction de ces réactions hypothétiques pour être sûrs de ne pas « déranger ».

Les codépendants ne peuvent exprimer leurs propres désirs et besoins parce qu'ils ne les connaissent pas, les faisant dépendre de ceux des autres. Cela peut conduire à des maladies mentales ou physiques.

On peut devenir codépendant non seulement de gens qui nous sont proches mais aussi de personnes qu'on n'aime pas, par exemple un voisin gênant. Un codépendant peut être obsédé par un voisin et les nuisances de son voisin autant qu'un autre par les faits et gestes de son conjoint.

Questionnaire

Voici quelques-unes des 31 questions qui permettent de diagnostiquer la codépendance (voir aussi au chapitre 6 les questions sur les relations codépendantes)...

1. Recherchez-vous l'approbation et la confirmation ?
2. Vous est-il difficile de reconnaître vos agissements ?
3. Craignez-vous la critique ?
4. Avez-vous un besoin de perfection ?
5. Êtes-vous mal à l'aise quand les choses vont bien et anticipez-vous continuellement des problèmes ?
6. Portez-vous facilement attention aux autres mais difficilement à vous-même ?
7. Attirez-vous les gens de tendances compulsives ou êtes-vous attiré(e) par eux ?
8. Vous accrochez-vous aux relations ?
9. Vous est-il difficile de vous détendre et de vous amuser ?
10. Avez-vous un sens exagéré de la responsabilité ?
11. Êtes-vous sujet(te) à la fatigue chronique, aux douleurs ici et là ?
12. Avez-vous du mal à dire aux autres ce que vous voulez ?

La codépendance peut aller avec un tel sentiment de vide personnel que vous tenterez de le remplir de façon malsaine, ce qui vous conduira à la maladie physique ou au dérangement affectif. Là encore, la solution est dans l'établissement de frontières (voir le chapitre 5).

Une société de la drogue et de la dépendance

Nous vivons dans une société de drogués, à un niveau ou à un autre. Chacun reconnaîtra une partie des symptômes décrits dans ce chapitre et le suivant. Cela ne veut pas dire que vous avez atteint le point de la dépendance toxique. La question est de voir dans quelle mesure vos dépendances affectent votre vie.

Guérir de la dépendance veut dire mener une vie plus heureuse et épanouissante. Les épreuves de la vie quotidienne seront encore là mais notre rapport à elles aura complètement changé.

2

Les dépendances spécifiques

J'ai rencontré Fabien pendant des vacances à l'étranger et nous avons passé des moments merveilleux. Je trouvais son corps superbe, mais je m'interrogeais un peu sur son obsession du culturisme. De plus, il mangeait et buvait beaucoup, ce qui n'était pas le cas habituellement. Quand il m'a invitée chez lui deux semaines plus tard, nous sommes tombés sur un copain qui l'a accueilli par ces mots : « Content de te voir sobre, pour une fois. » Je n'ai pas envie d'avoir une relation avec quelqu'un qui a un problème de boisson ou de nourriture. Je sais que cela tournera mal. Mais je le veux, lui. Ai-je vraiment affaire à un drogué ?

Dominique

J'ai remarqué Anne à déjeuner parce qu'elle cachait une tranche de pain sous sa main, qu'elle a fait glisser de la table sur ses genoux. Quand elle est partie, elle la dissimulait encore. C'était vraiment bizarre parce qu'elle aurait très bien pu la manger à table devant tout le monde, comme les autres.

Quelques jours plus tard, je l'ai trouvée en train de fouiller dans le placard, dans le noir. Ce n'était pas comme si elle chapardait des surplus de provisions, elle y avait droit de toute façon. Je ne comprenais pas pourquoi elle se comportait comme une voleuse. Elle avait l'air de se sentir très coupable d'être surprise ainsi.

Patricia

À quoi reconnaît-on que quelqu'un est dépendant ? Ce chapitre énumère des symptômes liés à des dépendances spécifiques. Certains critères sont d'ordre médical, d'autres ont été répertoriés au fil des ans par des spécialistes de tel ou tel domaine. Ces listes peuvent vous aider à savoir s'il est temps pour vous de prendre des mesures. Si vous vous inquiétez pour quelqu'un d'autre, vous pouvez lui montrer ces indications. Vous n'obtiendrez peut-être pas de réaction immédiate, sinon éventuellement de la colère, mais vous aurez semé une graine de guérison. Les gens croient plus volontiers à ce qui est écrit noir sur blanc qu'à ce qu'ils entendent.

Peut-être savez-vous déjà que vous avez un problème et avez-vous décidé de vous en occuper ? Dans ce cas, j'espère que ces listes vous rassureront en vous montrant que vous n'êtes pas unique, que vous n'êtes ni spécialement fou (folle) ni spécialement mauvais(e) et que vous pouvez guérir tout comme l'ont fait beaucoup d'autres atteints des mêmes symptômes.

Comment définissons-nous la dépendance, au sens d'une toxicomanie ? Pour ce livre, nous emploierons le terme « dépendance » relatif à différents types de substances ou de comportements faisant fonction de « drogue ». Cependant, il faut savoir qu'il n'existe pas de véritable consensus sur la terminologie à adopter, selon que l'on regarde des effets physiques ou psychiques, ou leur association, selon que l'on se réfère à des substances ou à des activités, à des produits d'usage courant ou à d'autres destinés spécialement à modifier l'humeur, selon la dangerosité qui leur est attribuée, leur expansion sociale, etc.

Par exemple, on fait une distinction entre « toxicomanie », ou usage habituel de produits dits stupéfiants, illégaux, et « pharmacodépendance » qui est l'usage abusif de médicaments. Ces deux formes d'intoxication étant distinguées de l'alcoolisme ou du tabagisme, tandis que ces « abus de substance » ont en commun des effets d'accoutumance et de dépendance physiques, différents de l'accoutumance-dépendance psychique relative à des activités, telles que la manie du travail, du jeu ou de la nourriture, qui peut aussi avoir des effets et des causes internes chimiques.

Les drogues

Nous classons ici comme drogues aussi bien l'alcool, la nicotine, la caféine et les médicaments que les substances légalement prohibées.

« La meilleure approche de l'alcoolisme ou de la toxicomanie est probablement d'y voir une maladie progressivement mortelle liée à des facteurs génétiques et à d'autres facteurs d'ordre chimique cérébral, visibles à travers des comportements tels que la perte de contrôle dans la consommation d'une substance, le besoin insatiable et le déni », affirme le Dr Michael Wilks, du Comité d'études médicales sur l'alcoolisme. La description paraît décourageante, mais il est possible d'obtenir une rémission à vie de ce genre de maladie.

La définition la plus reconnue de la dépendance à une substance (que l'on nomme aussi « assuétude ») a été décrite comme un ensemble de symptômes mentaux, physiques et comportementaux afférant à « l'usage continuel de la substance malgré les désordres importants qui en résultent. On constate que la répétition de cet usage aboutit en général à l'accoutumance de l'organisme, au manque chronique et au besoin compulsif d'absorber cette substance ».

L'accoutumance (ou « tolérance ») peut se définir par le besoin d'augmenter notablement la quantité de substance absorbée pour parvenir à l'intoxication-effet désiré, ou corollairement par la réduction notable de l'effet d'une même quantité en fonction de la fréquence des prises. Quand vous découvrez que l'augmentation des doses n'a plus d'effet sur votre humeur (stade qui peut mettre dix ans à se manifester...), le choc peut être tel que vous essayez de guérir.

Les symptômes du « manque » peuvent se développer pendant les heures ou les jours qui suivent l'arrêt ou la réduction de l'absorption d'une substance. Si vous avez essayé de vous sevrer d'alcool, vous avez dû éprouver des sueurs, des accélérations cardiaques, des tremblements de mains, de l'insomnie, des nausées ou des vomissements, des hallucinations, des angoisses ou des crises nerveuses.

Les symptômes du sevrage d'amphétamine ou de cocaïne comportent la « dysphorie » (opposé de l'euphorie), la fatigue, des cauchemars, l'insomnie ou l'hypersomnie, l'augmentation de l'appétit, des réactions ralenties ou agitées. Le sevrage d'opioïdes (morphine, héroïne, codéine, méthadone...) et même certains médicaments contre la diarrhée ou contre la toux engendrent la dysphorie, des nausées ou vomissements, des douleurs musculaires, des larmoiements, des ruissellements du nez, la dilatation des pupilles, des éruptions cutanées ou des sueurs, une diarrhée, des bâillements, de la fièvre, l'insomnie...

Le sevrage de nicotine a des effets assez connus : dépression, insomnie, irritabilité, frustration ou irritation, anxiété, difficulté à se concentrer, agitation, ralentissement cardiaque et augmentation de l'appétit.

Le sevrage de caféine provoque la fatigue ou la somnolence, l'anxiété ou la dépression, des nausées ou des vomissements.

Symptômes de dépendance à une substance

1. Accoutumance (augmentation des doses/réduction des effets).
2. Syndrome de manque, ou recours à un palliatif pour éviter les effets du sevrage.
3. Absorption plus importante que prévu, ou répétée sur une durée plus longue.
4. Désir persistant de contrôler ou de mettre fin à l'usage d'une substance, ou efforts sans succès.
5. Passer beaucoup de temps en démarches pour obtenir la substance : par exemple aller voir de multiples médecins ou fournisseurs, parcourir de longues distances.
6. Réduire ou renoncer à d'importantes activités sociales ou de loisirs à cause de l'usage d'une substance.
7. Persister dans l'usage d'une substance malgré les problèmes physiques ou psychologiques visiblement engendrés ou exacerbés par son absorption : par exemple l'usage de cocaïne en dépit des « bas » dépressifs qui s'ensuivent, ou d'une boisson dont on sait qu'elle aggrave un ulcère.

Si les critères 1 et 2 ne sont pas présents, il n'y a pas (encore) de dépendance physique.

Symptômes de l'abus d'une substance

Certaines personnes peuvent abuser d'une substance sans en être dépendantes, elles peuvent arrêter. Mais sur une période de douze mois, elles présenteront, comme les dépendants, l'un des signes suivants, ou les deux, d'une détresse cliniquement notable.

1. La consommation répétée d'une substance a pour résultat de ne pas remplir certaines obligations majeures, par exemple au travail, à la maison ou dans les études : absentéisme, mauvais résultats, renvoi ou blâme, négligence vis-à-vis des enfants ou de la maison.

2. L'absorption de la substance se fait dans des situations à risque, telles que la conduite automobile ou l'utilisation d'une machine.

Sachez qu'au moment où vous abusez d'un produit, vous pouvez subir les mêmes dommages médicaux et sociaux que les dépendants.

Si vous avez reconnu votre comportement parmi les symptômes répertoriés précédemment, vous avez franchi le premier pas vers la guérison.

La reconnaissance du problème est le début de la fin de la dépendance.

La nourriture

Presque toutes les femmes spécialement minces que je connais souffrent d'un désordre alimentaire et se croient continuellement trop grosses. Selon mon expérience, les gens qui ont un poids « moyen » ou qui sont « un peu enrobés » sont plus satisfaits de leur silhouette imparfaite que les « dépendant(e)s alimentaires » de leur ligne quasi parfaite.

Il est affligeant qu'avec la pression sociale et médiatique prônant les régimes et les silhouettes de mannequin, un nombre important d'adolescent(e)s soient tracassés par leur image corporelle, parfois même des enfants dès l'âge de six ans, comme l'ont révélé des enquêtes.

La dépendance alimentaire est divisée en deux grands types : l'anorexie et la boulimie. Il existe également des mangeurs excessifs qui se voient plus menus qu'ils ne sont, tandis que les anorexiques et les boulimiques se voient au moins 30 % plus gros qu'ils ne le sont.

En général, les anorexiques mangent le moins possible, mais un petit nombre se goinfre pour se purger ensuite comme le font des boulimiques. On a hospitalisé des anorexiques adultes qui ne pesaient que 25 kilos, et qui se voyaient encore trop gros(se)s. Mais le désordre le plus menaçant pour la vie est celui de ceux qui alternent entre l'anorexie et la boulimie, imposant tour à tour à leur corps la privation et le gavage, suivi de purge.

Si vous êtes anorexique, vous avez pu essayer de cacher votre comportement en déclarant que vous deveniez végétarien(ne), ou vous vous êtes mis(e) en quête obsessionnelle de magasins de diététique. Vous avez pu vous adonner aux exercices pour perdre du poids ou à la liposuccion, etc.

Symptômes de l'anorexie

1. Refus de maintenir son poids à la norme minimale pour l'âge et la taille. (Le poids atteint généralement moins de 85 % de ce qu'il devrait être.)
2. Peur intense de prendre du poids, de devenir trop gros(se), même en cas de maigreur évidente.
3. Perturbation de l'image corporelle. (Le (la) patient(e), même s'il (si elle) est maigre, voit tout ou partie de son corps comme trop gros.)
4. Chez les femmes, absence de règles pendant au moins trois cycles consécutifs.

AUTRES CARACTÉRISTIQUES DE L'ANOREXIE

perte de cheveux
insomnie
température basse et pouls lent
frilosité et mauvaise circulation
apparition d'un fin duvet sur tout le corps, y compris sur le visage
peau sèche et ongles cassants
tension basse

L'importante privation de nourriture que pratique l'anorexique peut affecter tous les organes corporels, tout comme l'usage fréquent de laxatifs, de diurétiques et de lavements. L'anémie est un effet secondaire habituel.

Symptômes de la boulimie

Si vous êtes boulimique, vous vous adonnez au gavage alimentaire, puis à la purge ou au vomissement pour ne pas grossir. Vous essayez aussi de manger en cachette (voir le témoignage de Patricia au début de ce chapitre).

Vous prévoyez votre « grosse bouffe » à l'avance et vous ne vous arrêtez pas de manger avant d'être plein(e) à craquer. Ensuite, vous vous détestez à cause de votre incapacité à vous contrôler. C'est pire que l'anorexie dans la mesure où vous vous considérez comme un(e) « anorexique raté(e) ».

DESCRIPTION DE LA BOULIMIE

1. Séances répétées de gavage, c'est-à-dire manger en une seule fois à intervalles rapprochés (par exemple 2 heures) plus de nourriture que la plupart des gens ne peuvent en avaler normalement, accompagnées de culpabilité pour cette absence de maîtrise.
2. Récurrence de comportements compensatoires inappropriés pour empêcher la prise de poids, tels que : vomissement volontaire, usage de laxatifs, de diurétiques, lavements ou autres médications, jeûnes, abus d'exercices physiques.
3. Ces deux sortes de comportement ont lieu au moins deux fois par semaine sur une période de trois mois.
4. Le poids et la forme du corps sont des critères privilégiés de l'évaluation de soi.

En outre, la pratique répétée du vomissement peut endommager l'émail des dents, vous donner mauvaise haleine, entraîner des désordres digestifs, une irritation de la gorge et de la bouche.

De même que certains abusent de produits qui modifient l'humeur sans être véritablement dépendants, d'autres sont des « mangeurs intempérants ». Ce genre d'excès malmène la santé et produit du stress. À la différence des boulimiques, les « gros mangeurs » ne cherchent pas à compenser leur comportement par les exercices, les vomissements ou la prise de laxatifs. Ils se font donc remarquer davantage par leur corpulence.

Enfin, le chocolat. On a dit que le chocolat ou le cacao libérait dans le cerveau des substances chimiques produisant des effets similaires à ceux de la marijuana. Selon les avis scientifiques les plus récents, le cacao contient une dose infime d'éléments susceptibles de conduire à la dépendance, et les « chocolatomanes » sont surtout sensibles au mélange de sucre et de graisse que contient le chocolat.

Le « frisson » du jeu

La manie du jeu est une véritable dépendance qui parvient à détériorer la vie personnelle, familiale ou professionnelle. La plupart des joueurs déclarent qu'ils recherchent « l'action » (l'euphorie ou les effets d'adrénaline) plus que l'argent.

Le comportement du joueur invétéré reflète les effets de la dépendance chimique car la montée continuelle des enjeux et du risque est nécessaire pour produire le niveau souhaité d'excitation. Comme dans la dépendance chimique, le joueur connaît d'abord l'euphorie, due à un gros gain pour lui-même ou quelqu'un qui l'accompagne. Il/Elle n'arrive pas à mettre fin à sa dépendance, à la contrôler ou la réduire malgré des tentatives répétées.

Lorsque la personne atteinte par cette « maladie du jeu » a épuisé ses ressources financières, elle en vient, encore plus souvent que dans le cas de la personne droguée, à recourir à l'usage de faux, à la fraude, au vol ou au détournement de fonds, en particulier si elle cherche à compenser ses pertes par des paris encore plus élevés, ce qui entraîne souvent la prise de nouveaux risques, de plus en plus périlleux. Tous les joueurs rejouent lorsqu'ils ont perdu, mais la relance sur un long terme est caractéristique du joueur dépendant.

À la différence des autres dépendants, les joueurs ont un sentiment de puissance, de maîtrise, ou affichent une fausse assurance. Ils peuvent être superstitieux. Contrairement aussi aux autres dépendants, ils admettent que l'objet de leur dépendance est la cause de leurs problèmes.

La passion du jeu commence souvent à l'adolescence chez les hommes et plus tard chez les femmes.

Symptômes de la dépendance au jeu

Le jeu est devenu pour vous une drogue si vous vous reconnaissez dans cinq ou plus des critères suivants.

1. La préoccupation du jeu.
2. Le besoin de jouer toujours plus d'argent pour trouver l'excitation recherchée.
3. Des efforts répétés et sans succès pour contrôler, diminuer ou mettre fin à l'habitude de jouer.
4. L'agitation ou l'irritabilité dans les moments où l'on arrête, ou l'on essaie, d'arrêter de jouer.
5. Jouer pour fuir des problèmes ou soulager la dysphorie.
6. Après avoir perdu au jeu, y retourner pour réparer la perte, et ce de façon fréquente.
7. Mentir à sa famille, à des thérapeutes ou à d'autres pour cacher l'étendue de son implication dans le jeu.
8. Le recours à des actes illégaux tels que l'usage de faux, la fraude, le vol, le détournement de fonds pour financer le jeu.
9. À cause du jeu, perdre, détruire ou rater une relation importante, un travail, des opportunités de carrière, d'études ou d'accomplissement personnel.

10. Se reposer sur d'autres pour fournir l'argent destiné à remédier à une situation financière désespérée due au jeu.
11. Un comportement de joueur non imputable à un « épisode maniaque ».

Comme dans le cas de la dépendance à un produit, la guérison de la dépendance au jeu est possible par l'entraide de personnes en situation similaire, le sevrage avec le soutien de la famille et d'amis, en apprenant à faire face aux problèmes en général et en expérimentant les bienfaits d'un mode de penser plus positif.

Le travail

La « travaillomanie », qui peut passer pour la seule manie respectable, entraîne un grand nombre de conséquences désastreuses généré par les autres formes de dépendance. Lorsque j'ai commencé à formuler mon problème, on m'a demandé : « Êtes-vous quelqu'un de bon ? Êtes-vous méchante ? Aimez-vous vous amuser ? » Je n'ai pu répondre à aucune question. Je savais comment j'écrivais et comment je produisais des magazines. Toute mon identité reposait sur mon boulot. Je n'avais aucune idée de moi-même en dehors du travail.

Au Japon, le surtravail est si répandu que 10 000 personnes par an meurent après avoir fait des semaines de 60 à 70 heures de travail. Les Japonais ont même donné un nom au phénomène : *karoshi*, « mort par excès de travail ».

Selon l'association des « travailloliques » anonymes (calquée sur le modèle des Alcooliques Anonymes), si vous répondez « oui » à trois ou plus des questions suivantes, il y a de fortes chances pour que vous soyez un maniaque du travail au sens grave de la dépendance, ou que vous risquiez de le devenir.

Questionnaire

1. Êtes-vous plus intéressé(e) ou stimulé(e) par votre travail que toute autre situation, y compris votre famille ?
2. Y a-t-il des moments où vous foncez tête baissée dans le travail et d'autres moments où vous n'arrivez pas à faire quoi que ce soit ?
3. Est-ce que vous emportez du travail au lit ? Pendant le week-end ? En vacances ?

4. Le travail est-il l'activité que vous préférez et celle dont vous parlez le plus ?
5. Travaillez-vous plus de 40 heures par semaine ?
6. Transformez-vous vos loisirs en moyens de faire de l'argent ?
7. Endossez-vous la complète responsabilité des résultats de votre travail ?
8. Est-ce que votre famille ou vos amis ont renoncé à vous voir arriver à l'heure ?
9. Vous chargez-vous d'un surcroît de travail, de crainte que cette part de travail réservée à d'autres ne soit pas exécutée ?
10. Sous-estimez-vous le temps nécessaire pour faire aboutir vos projets, de façon à les terminer dans la bousculade, en « charrette » ?
11. Trouvez-vous très bien de travailler de longues heures si vous aimez ce que vous faites ?
12. Êtes-vous énervé(e) par les gens qui ont d'autres priorités que le travail ?
13. Si vous ne travaillez pas dur, craignez-vous de perdre votre travail ou de devenir « looser », un(e) raté(e) ?
14. L'avenir est-il un souci constant pour vous même lorsque tout se passe bien ?
15. Êtes-vous toujours énergique et compétitif(ve) dans ce que vous faites, y compris dans les jeux ?
16. Êtes-vous irrité(e) quand on vous demande d'arrêter de travailler pour faire autre chose ?
17. Votre famille ou d'autres relations se sont-elles plaintes de votre temps de travail ?
18. Pensez-vous à votre travail quand vous conduisez, en vous endormant ou lorsque les autres parlent ?
19. Travaillez-vous ou lisez-vous pendant les repas ?
20. Croyez-vous que de gagner plus d'argent résoudra les autres problèmes de votre vie ?

Si vous vous êtes reconnu(e), vous serez ravi(e) d'apprendre que l'abstinence de travail n'est pas la solution pour guérir ! Il s'agit d'apprendre à instaurer un équilibre entre votre travail et le reste de votre vie. Pour guérir de la travaillomanie, voir le chapitre 6.

Acheter

C'est le fait de dépenser de l'argent et non ce qui est acheté qui excite les acheteurs invétérés. Ils n'ont aucun respect pour l'argent, mais ne pas en avoir entraîne, à les entendre, de graves symptômes de manque, tout comme un sevrage d'alcool ou de drogue.

Ces acheteurs compulsifs tirent également plaisir à l'idée de ne pas se faire surprendre la main dans le sac (le leur) par leurs proches. Tandis qu'ils se livrent à leurs emplettes, leurs sentiments semblent étrangement similaires à ce que d'autres éprouvent en volant de l'argent, des cartes de crédit ou des chéquiers.

Les dépensiers se sentent fortement valorisés, éprouvent d'intenses bouffées d'estime de soi aux moments où ils dépensent, et ressentent l'inverse lorsqu'ils ne le font pas.

Questionnaire

Test pour déterminer si vous êtes un malade de la dépense, un maniaque du shopping

1. Éprouvez-vous une sensation d'agréable chaleur et de bien-être lorsque vous faites des emplettes ?
2. Avez-vous vraiment besoin de ce que vous achetez ?
3. Pouvez-vous vous permettre sans problème d'acheter ce que vous achetez ?
4. Possédez-vous en double ou triple certaines des choses que vous avez achetées ?
5. Y a-t-il chez vous des paquets que vous n'avez pas ouverts ?
6. Devez-vous de l'argent à cause de vos achats ?
7. Avez-vous volé pour pouvoir acheter ?
8. Vos dépenses ont-elles causé des problèmes dans votre couple, votre famille, votre entourage ?
9. Avez-vous déjà eu affaire à la justice à cause de vos dépenses ?
10. Prenez-vous régulièrement des médicaments ou de l'alcool ?
11. Consommez-vous régulièrement trois repas par jour ?
12. Constatez-vous que votre comportement envers les autres change quand vous n'avez pas d'argent ou quand vous ne pouvez sortir pour faire du shopping ?
13. Pouvez-vous vous arrêter de dépenser sans subir d'importantes perturbations ?

On recense d'autres effets tels que mensonge, escroquerie, endettement, insomnie, suées nocturnes, perte d'appétit, usage de produits et même des modifications du caractère qui peuvent aller jusqu'à la mort. Les dépensiers compulsifs peuvent être soignés comme les autres dépendants.

Amour, sexe, relations

L'amour et le sexe ont été décrits comme les drogues les plus puissantes du monde. Elles peuvent être encouragées par la société, mais elles ont les mêmes conséquences que les autres dépendances décrites dans ce chapitre.

La dépendance amoureuse ou sexuelle peut vous rendre aveugle au monde extérieur, vous faire parcourir tout le cycle du drogué : besoin irrépressible, accoutumance, manque et rechute. L'accoutumance, avec augmentation des doses, peut vouloir dire ici que vous aurez des rapports sexuels de plus en plus fréquents avec de plus en plus de partenaires, ou de plus en plus violents, ou à caractère pornographique toujours plus poussé (« hard ») pour obtenir des sensations égales à celles dues à vos premières « doses ». Je connais un dépendant sexuel (terme médicalisé pour « obsédé sexuel ») qui s'était offert plus de cent partenaires en un an et qui ne parvenait plus à l'orgasme. Une autre s'est résignée à un partenaire violent « parce que sexuellement c'était super ».

Le sevrage peut entraîner l'anxiété, la solitude, les idées sombres, le sentiment que « je ne peux pas vivre sans lui/elle ». Alors, vous pourchassez votre ancien partenaire, ou vous partez immédiatement en quête d'un nouveau pour compenser le manque. Quand la décision est rapide, il y a des chances pour que ce ne soit pas la bonne.

L'intoxication amoureuse se caractérise par le sentiment « c'est nous contre tous ». Les amoureux se coupent du monde extérieur, associé à la réalité ordinaire. La fascination amoureuse ou sexuelle est un tel « stupéfiant » que ceux qui tombent en son pouvoir deviennent aussi aveugles à ce qui les entoure que les alcooliques ou les héroïnomanes.

Il n'est pas toujours facile de faire la distinction entre dépendance amoureuse et dépendance sexuelle, dans la mesure où notre culture considère qu'amour et sexualité vont de pair. Cependant, la dépendance amoureuse implique des fantasmes relatifs aux sentiments, le besoin de les évoquer (ambiance douce, musique, scènes romanesques), tandis que dans la dépendance sexuelle la préoccupation concerne la planification et la mise en scène de l'acte sexuel exclusivement. Bien sûr, on peut être dépendant sous ces deux aspects.

Questionnaire

Questions pour déterminer si vous avez un problème de dépendance amoureuse ou sexuelle

1. Préservez-vous une grande part de secret, même vis-à-vis de vos proches, concernant votre relation amoureuse ou votre activité sexuelle ? Menez-vous une double vie ?
2. Vos besoins vous ont-ils conduit(e) à avoir des rapports sexuels en des lieux ou des situations ou avec des personnes que vous ne choisiriez pas en temps normal ?
3. Recherchez-vous des articles, des photos, des films, des disques, des vidéos qui vous excitent sexuellement ?
4. Constatez-vous que vos préoccupations amoureuses ou sexuelles perturbent vos relations avec les autres ou qu'elles vous empêchent de faire face à certains problèmes ?
5. Désirez-vous souvent vous éloigner de votre partenaire après les rapports sexuels ? Éprouvez-vous du remords, de la honte ou de la culpabilité après une rencontre sexuelle ?
6. Éprouvez-vous de la gêne à propos de votre corps ou de votre sexualité ? Évitez-vous de toucher votre propre corps ou de vous engager dans une relation sexuelle ? Craignez-vous de n'avoir aucune sensation sexuelle, d'être asexuel(le) ?
7. Chaque nouvelle relation occasionne-t-elle les mêmes effets destructeurs que ceux qui vous ont fait quitter votre dernier (dernière) partenaire ?
8. Éprouvez-vous le besoin d'augmenter le nombre de vos partenaires et la fréquence de vos relations sexuelles ou amoureuses pour parvenir au même degré d'excitation et de satisfaction ?
9. Avez-vous déjà été arrêté(e) ou êtes-vous en danger de l'être pour voyeurisme, exhibitionnisme, prostitution, rapports sexuels avec des mineurs, appels téléphoniques obscènes, harcèlement, etc. ?
10. Vos préoccupations sexuelles ou amoureuses entrent-elles en conflit avec vos croyances ou votre culture ?
11. Vos activités sexuelles comportent-elles le risque ou la réalité d'une maladie, d'une grossesse, de la coercition ou de la violence ?
12. Votre comportement sexuel ou amoureux vous a-t-il déjà mené(e) au désespoir, aux pensées suicidaires, ou à vous sentir coupé(e) des autres ?

Si vous avez répondu « oui » à plus d'une de ces questions, on préconise en général l'abstinence pendant un an (pas à vie !), pendant lequel vous apprendrez à prendre du recul et à faire des choix sains et objectifs.

La religion

Je me souvenais de m'être réveillée un matin, alors que j'avais huit ans, en découvrant un prêtre dans mon lit. Je me suis souvenue que la veille au soir il m'avait tripotée et serrée dans ses bras. Mais ma famille faisait comme si de rien n'était. Ma mère était si imbue de religion qu'elle était aveugle à toute imperfection chez un prêtre. Elle croyait, parce qu'il le disait, qu'il était allé directement se coucher dans la chambre d'amis après le dîner.

Marie

Certaines personnes sont si hantées par la religion et ses rites qu'elles sont incapables de prêter attention à ce qui se passe autour d'elles, comme dans d'autres dépendances. Elles n'entendront jamais rien qui puisse mettre en danger leur foi.

Comme la dépendance au travail, la dépendance à la religion est difficile à repérer parce que la dévotion religieuse est valorisée. Elle devient alors une « couverture » particulièrement efficace pour dissimuler des comportements compulsifs, le cas classique où les bonnes paroles servent de prétexte aux mauvaises actions. Il est sans doute révélateur que dans certaines familles on trouve une génération entichée de religion, suivie d'une génération encline à l'alcoolisme, suivie d'une nouvelle génération de dépendance religieuse, suivie d'une autre génération d'alcooliques, etc. On peut se servir de la religion pour se donner une illusion de pouvoir et de maîtrise, pour réprimer ses sentiments, ou pour gouverner les paroles et les actes des autres. La justification religieuse peut être un moyen de se protéger des conséquences de ses propres actes. Comme dans toutes les dépendances, la dépendance religieuse est une façon d'éviter de faire face à la réalité.

Questionnaire

Indices de dépendance religieuse

1. Constatez-vous que lorsque vous êtes confronté(e) à des problèmes ou des frustrations vous avez tendance à prier, à lire ou réciter la Bible/le Talmud/le Coran, au lieu d'examiner objectivement la situation et d'élaborer une réponse constructive ?

2. Avez-vous modifié votre système de valeurs au nom d'un devoir religieux ? Avez-vous placé la religion avant vos sentiments et/ou les sentiments de vos enfants ?
3. Êtes-vous incapable de mettre en question un représentant de votre religion ou de mettre en doute des affirmations de cette institution ?
4. Voyez-vous les choses en noir ou blanc ? Bien ou Mal ?
5. Croyez-vous que Dieu vous sauvera ? Ou qu'il arrangera vos affaires sans que vous y mettiez sérieusement du vôtre ?
6. Adhérez-vous rigidement à des principes, des codes, des règlements, des lois éthiques ? Employez-vous souvent les formules « Il faut », « Je dois »... ?
7. Jugez-vous hâtivement ? Vous attendez-vous à trouver le mal, la faute ?
8. Croyez-vous que le sexe est quelque chose de sale ou que les plaisirs physiques sont suspects ?
9. Vous arrive-t-il souvent de manger ou de jeûner avec excès ?
10. Placez-vous la religion avant la science, la médecine et/ou l'éducation scolaire ou la culture ?
11. Avez-vous éloigné de vous des membres de votre famille, des amis ou des collègues par vos prises de position religieuses ?
12. Avez-vous renoncé à des activités sociales, familiales, professionnelles ou autres pour votre religion ?
13. Souffrez-vous de maux de dos, d'insomnies, de maux de tête, d'hypertension ?
14. Cherchez-vous à interpréter l'Évangile ou d'autres textes religieux dans un sens qui justifie vos actes ? Vous sentez-vous spécialement élu(e) de Dieu ? Ou êtes-vous convaincu(e) de recevoir des messages de Dieu ?
15. Vous retrouvez-vous parfois en état de transe ?

Si vous avez répondu « oui » à plusieurs de ces questions, il est important que vous examiniez si vous utilisez la religion pour réprimer vos sentiments et pour éviter d'affronter la réalité.

Obsession et compulsion

Les pensées obsédantes ou les comportements compulsifs (répétitifs) atteignent le stade maladif lorsqu'ils vous accaparent pendant plus d'une heure par jour ou quand ils vous causent un stress notable ou s'ils vous empêchent de fonctionner normalement. À ce stade, vous remarquerez que vos actes (ou ceux d'un proche) ont quelque chose d'excessif ou d'incohérent.

Les désordres de type compulsif-obsessionnel présentent des similitudes avec les effets de la dépendance, mais on les aborde différemment.

Les médicaments sont une réponse plus efficace à ces problèmes qu'une thérapie visant à explorer des causes possibles, d'autant plus qu'ils accompagnent parfois une dépendance centrale. Pour ces raisons, leur examen plus détaillé se trouve dans l'Annexe II traitant des désordres doubles.

Êtes-vous heureux ?

Vous pouvez vous servir des questionnaires de ce chapitre pour persuader un proche, ou vous-même, d'entreprendre des démarches pour guérir. Cependant, un de mes amis, qui a souvent réussi à mettre des dépendants sur la voie de la guérison, ne leur demande jamais au départ de mesurer leurs habitudes de boire, se droguer, jouer, se gaver ou autres, ou les dégâts qu'elles engendrent. Il leur demande simplement : « Êtes-vous heureux ? » Comme ils ne s'adresseraient pas à lui s'ils n'avaient pas besoin d'aide, la question est quelque peu superflue, mais elle marche invariablement. Il peut passer ensuite à d'autres questions.

Le chapitre suivant montre de quelle façon la dépendance peut commencer et comment l'identification d'un ou de quelques aspects de son origine est un facteur de guérison.

3

Les causes

Les études sur les causes de la dépendance sont récentes et de nouvelles découvertes ont certainement lieu tandis que vous lisez ce livre. La plupart du temps, la recherche scientifique part de connaissances générales sur un sujet pour affiner ensuite des aspects spécifiques. En ce qui concerne la dépendance, la recherche est partie d'une forme spécifique, l'alcoolisme, pour couvrir un champ plus général.

C'est seulement en 1935 qu'un traitement efficace de l'alcoolisme a vu le jour avec l'Association des Alcooliques Anonymes (AAA). Les études visant à montrer un lien entre alcoolisme et prédispositions génétiques ont commencé à paraître en 1973. Et c'est récemment, dans les années 1990, qu'ont été publiées des données établissant des rapports entre hérédité, processus chimiques du cerveau et comportements de dépendance.

Tout le monde n'est pas d'accord sur toutes les conclusions de ces recherches, mais les informations sont suffisantes pour prouver que la dépendance est plus qu'une question de morale et de volonté. Au départ, ce n'est pas la faute des individus si le mécanisme de la dépendance s'instaure, mais il est de la responsabilité de ce livre de montrer qu'ils peuvent s'en sortir.

Il est davantage question d'une rémission à vie que d'une guérison véritable car le terrain propice au déséquilibre chimique subsiste, et il suffit d'un seul nouvel usage de l'objet de la dépendance pour que tout bascule.

La dépendance-intoxication a de multiples causes et de multiples solutions. L'alcoolisme, la première des dépendances à avoir été étudiée, a été défini comme désordre ou maladie bio-psycho-sociale ; « bio » désigne l'aspect chimique, « psycho » indique la dimension psychologique du processus. Il est dit également « social », à la fois parce que l'alcoolisme affecte la société et parce que la société contribue à engendrer l'alcoolisme.

L'aspect « maladie » est objet de controverses, bien que cette notion ait aidé beaucoup de gens à sortir de leur dépendance, à « guérir » ; le terme « désordre » est plus à la mode. Examinons sous plusieurs plans les causes possibles des diverses formes de dépendance.

Causes biologiques ou génétiques

Dans les années 1970, des études sur des jumeaux et des enfants séparés de leurs parents ayant manifesté les mêmes dispositions alcooliques qu'eux ont montré que ce n'était pas un facteur « appris » dans la famille. Il s'avère que les enfants d'alcoolique(s) deviennent plus souvent alcooliques que les autres, même lorsqu'ils n'ont eu aucun contact avec leur(s) parent(s). On en déduit qu'il existe un facteur génétique si l'on élimine les conditions de gestation, de naissance et le fait d'être enlevé de sa famille.

Une étude publiée en 1995 révèle une particularité dans une onde cérébrale, appelée « onde auditive P 300 », chez les enfants de famille alcoolique, particularité qui n'existe pas chez les autres. Cependant, ce facteur spécifique n'existe pas chez tous ceux qui deviennent alcooliques.

Les avancées en neurosciences (études du cerveau et du système nerveux) dans les années 1990 révèlent des rapports entre la dépendance à l'alcool, à d'autres produits ou à un comportement, et à l'absence de certaines substances chimiques dans le cerveau. Cela nous aide à reconnaître ce qu'il y a de commun entre les différentes formes de la dépendance.

Par exemple, on a découvert que l'alcool reproduit sur le cerveau les effets de la cocaïne, des benzodiazépines (comme le Valium) et des amphétamines. C'est pourquoi le mélange de ces produits avec l'alcool en intensifie les effets dangereux. L'alcool ressemble également à l'opium car il peut déclencher l'émission d'endorphines naturelles semblables à la morphine, qui endorment la douleur.

Constatant les ressemblances entre les différentes formes de la dépendance, nous comprenons pourquoi l'on a recours à des traitements semblables. À cet égard, le cholestérol pourrait expliquer l'effet du gavage alimentaire et la facilité de transfert de la dépendance d'une substance à une autre.

Comprendre le fonctionnement chimique du cerveau nous aide également à admettre qu'il est vital d'éviter cette première dose de boisson, drogue ou autre substance de prédilection qui peut (re)mettre en branle la chaîne de la dépendance.

Alors... imaginons une substance qui puisse mettre de bonne humeur, améliorer la mémoire, réduire l'anxiété, éliminer les phobies, stimuler le métabolisme, intensifier les émotions et nous aider simplement à dire « non » à l'agression, à l'alcool, aux drogues, à l'obsession sexuelle, à la frénésie de manger ou à d'autres comportements douteux. Elle existe, et le corps la produit naturellement : c'est la sérotonine. Or, on pense qu'elle manque chez les personnes qui deviennent dépendantes, pour des causes génétiques ou à cause d'un stress précoce.

Il n'est pas surprenant que des individus manquant de sérotonine se tournent vers tout ce qui peut produire des effets semblables à ceux dont les autres bénéficient naturellement, qu'ils tendent à un fonctionnement biologique normal.

Imaginons encore une substance qui intervienne dans la sensation de satiété, sur une échelle variant de la satisfaction calme à l'orgasme, en passant par l'euphorie légère ou intense. C'est la dopamine, autre production naturelle du corps. On pense que ceux qui deviennent dépendants en manquent également.

La sérotonine, la dopamine et les endorphines sont des neurotransmetteurs, éléments chimiques naturels qui transmettent des messages entre les cellules nerveuses. Les neurotransmetteurs entrant en jeu dans la dépendance se situent dans la zone médiane du cerveau frontal. On les nomme plus poétiquement « les portes du plaisir ».

Les neurotransmetteurs ne fonctionnent qu'à travers des groupes de cellules neuronales identiques. Elles sont pourvues de nombreuses « serrures » ou récepteurs, chacun interagissant avec une substance particulière ou « clé ».

L'alcool reproduit les effets de la sérotonine, de la dopamine et des endorphines. La cocaïne et les amphétamines sont nulles en dopamine. L'héroïne, d'autres drogues, la caféine et certains aliments se conduisent aussi comme des neurotransmetteurs. La liste des ersatz semble s'allonger ; on a prouvé récemment que la fumée de tabac agissait indirectement sur la dopamine. Des études ont montré que le fait même d'anticiper l'ingestion d'alcool élevait le taux de dopamine. Cet effet est à considérer dans le phénomène de la fringale et de la recherche urgente d'un produit à ingérer. Des travaux suggèrent également que l'action répétitive peut élever le niveau de sérotonine, ce qui renforce les comportements formateurs d'habitudes.

On pense que la quantité de neurotransmetteurs dont chacun est pourvu dépend à la fois de facteurs génétiques et des conditions de vie dans l'enfance. Donc, en théorie, la médication et l'aide psychologique devraient opérer de la même façon. Cependant, par exemple, si la prise de sérotonine a aidé certaines personnes à s'abstenir d'alcool, l'effet n'a pas duré plus d'un mois.

La bonne nouvelle, c'est que vous pouvez élever vous-même votre niveau de « substance chimique de bien-être », et ce par des méthodes saines. Divers moyens sont suggérés aux chapitres 4, 5 et 6 : le régime alimentaire, les exercices, le rire, la pensée positive, la relaxation, la méditation et le yoga stimulent naturellement la production de sérotonine.

Causes psychologiques et conditions de vie dans l'enfance

Un enfant chez qui la production de sérotonine, de dopamine ou d'endorphine est faible mais qui bénéficie d'une bonne ambiance familiale pourra bien se porter. Malheureusement, les enfants qui auraient le plus besoin de ces produits chimiques naturels peuvent en être dépourvus à la suite de stress. On a maintes fois constaté qu'un grand pourcentage de personnes dépendantes ont subi de fortes agressions dans l'enfance, telles que violences physiques ou sexuelles, ou ont été humiliées. Et personne n'a appris à ces enfants comment s'en protéger. Ils sont alors prédisposés à la dépendance et/ou à la maladie psychiatrique.

Tous les alcooliques que je connais ont mentionné l'euphorie qui les gagnait lors de leur premier verre. Chez les joueurs, l'humeur se transforme dès qu'ils jouent, de même chez les dépensiers lorsqu'ils achètent, chez les dépendants à la nourriture lorsqu'ils se gavent ou qu'ils jeûnent. On « plane » sous trois modes : l'excitation, la satiété, éventuellement le fantasme, élément important dans toutes les formes de dépendance. Chaque produit ou activité de prédilection ouvre la porte du bien-être à la personne dépendante. La transformation de son état étant pour la personne dépendante une expérience inoubliable, elle en veut davantage.

L'excitation euphorisante est produite par les amphétamines, la cocaïne, l'ecstasy, les premières gorgées d'alcool, ou encore l'activité sexuelle, le jeu, le vol ou l'achat. Cette excitation est promesse de bonheur, de plénitude et de sécurité.

L'euphorie de satiété est déclenchée par l'alcool, l'héroïne, la marijuana, les benzodiazépines et l'excès alimentaire. La personne dépendante se sent comblée, rassasiée ; la souffrance et la détresse sont anesthésiées. Cette expérience, hélas, n'est que temporaire.

Mentalement, les dépendants savent que leur produit ou leur activité de prédilection ne peut les combler. Mais le comportement dépendant se base sur une logique affective, et non intellectuelle. Le produit ou l'activité va « résoudre » le problème immédiat par l'euphorie ou par l'anesthésie ; les dépendants ne connaissent pas d'autre moyen d'y répondre parce qu'ils n'ont pas appris dans leur passé familial à résoudre les problèmes. Cette lacune s'aggrave avec un isolement progressif, car c'est dans la recherche dynamique de solutions aux problèmes que se tissent naturellement les liens sociaux.

Je crois que la dépendance ou la toxicomanie, sous toutes ses formes, provient de détresses infantiles qui n'ont pu s'exprimer ou être réparées. L'enfant, par exemple lors de la mort ou du départ d'un parent proche, n'a trouvé ni soutien ni consolation dans son chagrin. On lui a interdit de le manifester, on lui a demandé de donner le bon exemple à ses frères ou sœurs, d'être précocement l'homme ou la femme responsable de la famille. « Un grand garçon/une grande fille ne pleure pas » est un message familial souvent cité par les personnes sous dépendance.

Les études sur les troubles post-traumatiques montrent qu'un seul événement catastrophique sur lequel on n'a aucun contrôle suffit à modifier pour toujours la chimie du cerveau. Un enfant peut être agressé sexuellement, puis accusé de mensonge par des parents qui refusent de le croire. L'agression sexuelle peut venir du père ou d'un proche qui lui imposera silence par la menace. L'enfant peut être battu et s'entendre dire, ou croire, qu'il ne doit pas se plaindre parce qu'il le mérite.

Le traumatisme vient aussi de parents alcooliques incapables d'exprimer de l'amour à leurs enfants ou qui les battent. Lorsque les enfants sont molestés ou repoussés par leurs parents, ils peuvent se considérer comme fautifs. Ils peuvent subir d'intenses hauts et bas émotifs devant un comportement imprévisible, être victimes de chantage affectif, surtout de la part d'un parent en état de dépendance.

La souffrance de l'enfant peut être attachée à des circonstances d'ordre divers : perte de l'innocence, de l'enfance elle-même, de la sécurité physique et psychologique, mort ou absence d'un parent, divorce, affection reportée sur un frère ou une sœur, placement dans une famille étrangère ou une institution, statut social et environnement ressentis comme misérables. L'enfant exprimera plus facilement sa douleur à l'occasion de la perte d'un jouet ou d'un animal que devant un malheur indicible, mais les pertes essentielles sont celles de l'amour, de la confiance, des émotions positives, de l'estime de soi, d'une identité indépendante.

La honte est le sentiment qui vient couvrir toutes les détresses cachées : « je suis mauvais si je me sens malheureux » ou « je n'ai pas assez de valeur pour me permettre d'être malheureux », ou « se sentir mal est répréhensible ». Les douleurs anciennes sont peu à peu brouillées, reléguées à l'arrière-plan de la conscience, tandis que la honte s'installe, écrasante. Et c'est un poids terrible à porter.

Certains se suicident avant d'être parvenus à l'âge adulte. D'autres sombrent dans la dépression. D'autres se droguent : ils s'accrochent à quelque chose, un produit ou un comportement.

C'est là que le cercle vicieux s'enclenche. La drogue est utilisée pour transformer le sentiment de honte. Mais le comportement dépendant et la perte de contrôle aggravent la honte. Alors on cherche à oublier qu'on est drogué en reprenant la même drogue et la dépendance s'accroît, avec ses conséquences : perte du compagnon ou de la compagne, d'un emploi, d'une réputation, etc. Tout sera à nouveau chassé par la relance de l'intoxication et la machine s'emballe.

Maintenant, c'est l'obsession d'une solution unique pour chaque instant ; il suffit d'y penser pour être déjà soulagé. L'espoir et la positivité n'étant plus expérimentés qu'autour de l'objet-drogue, le (la) dépendant(e) nie les effets négatifs de sa dépendance (« ce n'est pas si grave ») et les oublie. Il/Elle prend ses distances par rapport à quiconque fait obstacle entre lui (elle) et ce à quoi il (elle) s'accroche. Il/Elle organise toute sa vie et ses relations autour de sa potion magique.

Le dépendant ment au sujet de son habitude toxique, si honnête soit-il par ailleurs. Le boulimique se met à cacher de la nourriture, l'alcoolique boit en cachette, le joueur ouvre un compte en secret, l'obsédé sexuel trompe son épouse et a éventuellement recours à des prostitué(e)s ou à un réseau clandestin.

À la place d'une vie « normale » s'installent des rites. Le dépendant sait que, s'il agit d'une certaine façon, il connaîtra une transformation de son humeur. Les habitudes tiennent lieu de maîtrise. Les retrouvailles quotidiennes entre « compagnons d'ivresse » font partie du rituel, de même que les purges du boulimique ou les festins d'images pornographiques. Le rétablissement demande que toutes ces habitudes malsaines soient remplacées par d'autres habitudes.

Quant à l'entourage de la personne dépendante, il vit des jours terribles. Il peut aimer « la vraie personne » qu'elle est en dehors de sa maladie et supporte d'autant moins cette personnalité parasite qu'est la dépendance, ses comportements et les paroles de la personne intoxiquée. En réponse aux brusques métamorphoses du malade, les proches subiront eux-mêmes de violents changements d'humeur. Cette personne imprévisible vous fait peur. Vous perdez confiance en elle. Vous souffrez, vous ressentez de la honte et vous avez besoin d'aide.

La personne dépendante, consciemment ou non, capte votre honte et la justifie par un comportement de plus en plus outré. En même temps, il lui faut des « doses » de plus en plus fortes.

Parfois, le recours à la drogue ne produit pas l'effet attendu. Il arrive qu'un alcoolique se voie en train de boire, comme de l'extérieur, sans éprouver la moindre ivresse. Ou alors la catastrophe est là, et vous devez la regarder en face. Ce peut être la ruine financière, le départ de l'être que vous aimez le plus, la menace de mort. Vous vous retrouvez à l'hôpital : coma, cirrhose du foie, maladie sexuellement transmissible, graves blessures alors que vous conduisiez en état d'ivresse ou de manque. Vous allez perdre votre travail. L'assistante sociale vous informe que l'on va vous retirer la garde de vos enfants.

La grosse crise est différente pour chacun, mais elle vous dit à vous que vous avez touché le fond. À ce stade, la personne intoxiquée essaie de faire quelque chose contre sa dépendance. Malheureusement, le plus souvent, elle pense que l'habitude toxique peut être maîtrisée, simplement réduite, ou elle se tourne vers une autre forme de drogue, non reconnue comme telle, comme si elle ne pouvait être « accro » qu'à un seul et unique objet.

Ce n'est qu'après avoir épuisé toutes ses ressources de volonté et de réflexion pour arriver à l'abstinence, et avoir lamentablement échoué, que la personne dépendante va se tourner vers une autre source de secours. C'est là qu'entrent en jeu les associations d'entraide, les thérapies...

Les causes sociales

Nous vivons dans une société de la drogue et de la dépendance. Nous sommes encouragés à « boire au succès », à nous « doper », à consommer toujours plus de produits prometteurs de jouissance, de tonus. Les médias nous servent, pour nous faire oublier nos soucis, des cocktails de volupté et d'angoisse, des histoires d'amour où l'extase côtoie la catastrophe. Le fossé entre les « nantis » et les « exclus » s'accroît. Et jamais la société humaine n'a disposé d'une telle abondance de produits destinés à modifier l'humeur, tranquillisants ou stimulants.

Aucune recherche sur le lien entre la disponibilité d'un produit et l'ampleur sociale de la maladie d'accoutumance n'a été menée, sauf pour l'alcool ; c'est en tout cas un exemple révélateur. L'importance et le nombre des problèmes liés à l'alcool dans une région varient en fonction de la quantité d'alcool consommée annuellement par habitant, quantité moyenne qui dépend de la quantité d'alcool accessible sur le marché. Ce constat a conduit certains à envisager le problème de la dépendance sous l'angle social et politique plutôt que médical.

L'idée se résume ainsi : plus les gens consomment de boissons alcoolisées et plus nombreux sont les alcooliques. D'autre part, des enquêtes montrent un lien entre usage de drogues et pauvreté, cet usage étant le plus répandu dans les quartiers « ghettos ». Ces deux exemples mettent en relief le contexte social et culturel.

Il est donc essentiel de prendre des mesures préventives, notamment de répandre les informations sur le phénomène de la dépendance et les possibilités d'en sortir. Les implications d'un vaste mouvement d'information, avec la mise en place de structures adaptées, font peur aux gouvernements. Mais c'est à chaque toxicomane que revient l'initiative de sortir de l'engrenage.

4

Stratégies pour mieux vivre : les tactiques d'urgence

Rappelons-nous avant tout que lorsque l'on essaie de « décrocher », il ne suffit pas de dire « non ». En terminer avec la dépendance, c'est s'affronter au vide, et la nature a horreur du vide. Il existe toujours la possibilité de passer d'une forme de dépendance à une autre. Il faut combler le vide par des actions saines qui remédient aux problèmes du court terme tout en posant de solides fondations pour l'avenir.

Le comportement dépendant implique un énorme investissement de temps. Si vous êtes joueur, outre le temps passé à jouer, il vous faut aller d'un champ de courses à l'autre, déposer vos paris, chercher des tuyaux, tenter votre chance à la loterie, gratter des billets, faire le tour des casinos et des salles de jeu... Vous passez une partie de votre vie en quête d'argent : pour vos mises, pour compenser vos pertes, pour rembourser vos dettes. Vous prenez du temps pour éviter vos créanciers, élaborer des stratagèmes, raconter des bobards à vos amis, votre famille ou votre employeur (si vous en avez encore un).

Si vous êtes un(e) dépensier(ère) invétéré(e), un(e) maniaque des emplettes, vous passez des journées entières à « faire » les magasins. Si vous êtes obsédé(e) de sexe, vous consacrez des heures et des heures à votre obsession : lire des magazines pornographiques, regarder des vidéos, inviter à dîner des partenaires sexuels potentiels, préparer des soirées, soigner votre allure vestimentaire, aller à des rendez-vous, « chasser le gibier » et planifier vos activités sexuelles. Vous passez un temps considérable à fantasmer comme à agir, de façon répétitive.

Si vous êtes alcoolique, vous avez dû vous approvisionner dans de nombreux magasins différents afin de ne pas vous faire remarquer, vous avez couru les cocktails et autres occasions licites de boire, vous êtes resté(e) des soirées entières au comptoir et vous avez cuvé pendant de longues journées. Vous avez même pu passer quelques heures au poste de police ou à la gendarmerie.

Si vous êtes toxicomane, vous avez dû passer un temps fou à dormir, à récupérer, comme à rendre visite à de nombreux médecins pour obtenir plusieurs ordonnances, à passer d'une pharmacie à l'autre pour chaque ordonnance, et peut-être à voler dans les magasins, à dérober des portefeuilles ou à cambrioler pour financer votre drogue. Revendre des larcins prend du temps, rencontrer des dealers aussi.

Si vous êtes boulimique, votre emploi du temps est chargé : courir les réceptions et les fêtes où l'on peut se goinfrer sans attirer l'attention, voler et cacher de la nourriture à consommer en solo, mettre au point des scénarios pour expliquer aux autres vos absences tandis que vous multipliez et prolongez vos agapes. Vous passez des heures à vomir. Peut-être traînez-vous devant les rayons diététiques. Et probablement séjournez-vous longtemps dans la cuisine. Il se peut que vous vous adonniez à de longues séances d'exercices physiques, comme le font certains boulimiques, et même des anorexiques.

Alors, tout ce temps occupé par une seule idée fixe, avec quoi pourriez-vous le remplir ? Nous allons distinguer deux sortes d'attitude nouvelle à adopter : les mesures en cas d'urgence, détaillées dans ce chapitre, et les stratégies à plus long terme, décrites dans les deux chapitres suivants. Prenez d'abord connaissance des mesures « d'autosecourisme » d'urgence : si vous êtes envahi(e) par le désespoir, la rage, le sentiment d'impuissance, la douleur, la tristesse, ou tout autre mal-être y compris l'ennui, vous disposerez d'un recours immédiat qui n'est pas votre drogue.

Mesures immédiates

Toutes les recommandations suivantes se ramènent à la concentration sur une activité, pendant un temps donné, au bout duquel les sentiments envahissants seront réduits, ou auront disparu. Souvenez-vous que les sentiments ne durent pas, et les fringales non plus ! C'est justement ce qui est difficile à croire, mais c'est un fait : aucune des impressions qui nous traverse n'a de caractère permanent. Le truc, c'est donc de vous occuper jusqu'à ce que l'envahisseur décroche naturellement, faute de prise.

1. Respirez lentement et profondément

Ce truc-là semble un peu trop simple pour marcher, mais il peut donner des résultats immédiats. Beaucoup de gens ne respirent pas assez profondément, alors que la respiration superficielle élève le taux d'hormones de stress dans le corps, ce qui contracte les vaisseaux sanguins et augmente la tension artérielle. Concentrez votre esprit sur votre respiration de façon qu'elle soit profonde et détendue, l'air circulant librement. Cela vous calmera. Soufflez dans un sac en papier si nécessaire, ou dans vos mains en coupe, l'inhalation de l'air expiré étant calmante.

LE SOUFFLE LONG

Sans bouger les épaules, imaginez que vous inspirez par le bout des doigts, puis le long des bras jusqu'aux épaules, puis que vous expirez par l'abdomen, les jambes et enfin les doigts de pied. Recommencez.

LA RESPIRATION PAR LA PEAU

Imaginez que vous inspirez et expirez à travers la peau, à n'importe quel endroit de votre corps. À chaque inspiration, sentez comme votre peau est rafraîchie et revigorée. À chaque expiration, laissez votre peau se détendre.

LA RESPIRATION ABDOMINALE

Posez vos mains autour du nombril et concentrez votre attention sur cette zone. Commencez à inspirer profondément, en gonflant votre estomac autant que possible de façon à soulever vos mains. Maintenant expirez, deux fois plus lentement que pour l'inspiration, rentrez les muscles de l'abdomen et portez votre attention sur l'abaissement de vos mains.

LE PRODUIT IMAGINAIRE

Tandis que vous respirez, imaginez que vous inhalez un produit dilatateur des bronches qui détend et élargit les conduits d'air des bronches et des poumons ; laissez l'air entrer librement. Quand vous expirez, sentez la douce rétraction de ces conduits d'air. Recommencez.

FLUX ET REFLUX

Allongez-vous sur le dos. Pendant deux ou trois cycles respiratoires, imaginez que votre souffle suit le flux et le reflux de la marée sur un rivage. Ressentez la spontanéité du mouvement de l'extérieur vers l'intérieur et inversement.

2. Attendez cinq minutes avant d'agir

3. Téléphonez à quelqu'un en qui vous avez confiance

C'est plus difficile qu'il n'y paraît car vos « amis » peuvent être des gens qui boivent/se droguent/jouent/se gavent/ont un comportement dépendant. Quant à votre famille, elle ne sait en général pas quoi faire. Mais on découvrira avec étonnement que beaucoup de gens que l'on considérait comme de simples connaissances se révèlent des auxiliaires précieux. Téléphonez à quelqu'un que vous admirez pour son style de vie, à des personnes qui connaissent comme vous la dépendance (n'importe laquelle) et sont en voie de guérison, à votre groupe d'entraide, à votre thérapeute éventuel, ou même à une association : n'attendez pas d'être au bord du suicide pour les appeler. Le miracle, c'est que lorsque vous faites part à quelqu'un de votre malaise, en général ce sentiment négatif disparaît.

Rappelez-vous que la plupart des gens aiment se sentir utiles et que vous leur faites un cadeau quand vous leur en donnez l'occasion.

Si la première personne que vous appelez est absente, laissez un message sur son répondeur et appelez d'autres connaissances. Même si vous n'avez pu joindre personne, pendant le temps que vous avez passé à téléphoner, la sensation de manque sera adoucie ou aura disparu.

Les premières fois, notez par écrit ce que vous ressentez après un échange téléphonique. Vous êtes-vous senti mieux après avoir parlé ? Il peut être nécessaire de rayer certaines personnes de votre liste. Prenez garde, si vous éprouvez de la gratitude envers quelqu'un qui s'est occupé de vous, il ne faut pas qu'il vous laisse l'impression que vous êtes moins bon que lui. Sélectionnez les gens qui vous donnent un meilleur sentiment de vous-même.

4. Rencontrez quelqu'un avec qui vous pouvez parler

Voyez un(e) ami(e) de confiance chez vous ou dans un endroit où vous ne pouvez céder à votre tentation. Si vous n'arrivez pas à parler de ce que vous ressentez, parlez de n'importe quoi d'autre. Si votre sensation de manque a été déclenchée par un problème spécifique, essayez d'en parler honnêtement. Et que l'on ne vous laisse pas seul(e) !

5. Faites quelque chose qui vous donne un sentiment positif

Écoutez de la musique, prenez un bain parfumé, faites du lavage, repeignez un mur, lisez un livre qui vous accroche. Ou sortez de chez vous pour aller dans un lieu sans danger de rechute : au cinéma, au musée, faites un tour à la campagne. À la fin de la balade, la sensation d'urgence du manque devrait être calmée.

6. Allez à une réunion

Si vous êtes en contact avec une association d'aide aux personnes sous dépendance, telle que les Alcooliques Anonymes, allez-y. Certains de ces groupes s'arrangent pour que l'on vienne vous chercher chez vous lors de votre première réunion (voir le chapitre 7).

7. Laissez ouverte la pharmacie de votre corps

Rappelez-vous qu'une rechute va dévaster votre production naturelle de calmants et stimulants (voir le chapitre 3), à laquelle va se substituer le mécanisme de la dépendance et de la dépression. Vos sensations pénibles dureront beaucoup moins longtemps que le cycle infernal qui va être mis en branle par une nouvelle « dose ».

8. Souvenez-vous des expériences passées

Remémorez-vous vos plus grandes hontes liées à votre comportement dépendant. Rappelez-vous comment vous vous êtes fait du mal, mais aussi le mal que vous avez créé par votre comportement à ceux que vous aimez et respectez ; songez à quel point vous voudriez retrouver leur confiance.

9. Pensez à un scénario catastrophe

Écrivez toutes ces choses terribles qui vont arriver si vous cédez. Après tout, pourquoi cette fois serait-elle différente des autres ?

10. Méditez

Concentrez votre esprit sur une image plaisante. Utilisez des recueils de pensées qui vous font réfléchir, qui modifient vos perspectives et induisent le mieux-être. Consulter certains de ces livres en librairie peut être une méditation en soi. Plus de cinq cents études scientifiques ont confirmé les bienfaits de la méditation agissant sur la baisse de la tension artérielle. Visualisez comment vous voudriez changer votre vie.

11. Offrez-vous un bon rire

Un médecin qui a tenu une clinique du rire en Grande-Bretagne conseille à tout le monde de s'asseoir en tailleur devant un miroir chaque matin et de rire pendant deux minutes sans la moindre raison !

12. Lisez des livres sur la dépendance et les moyens d'en sortir

Consultez des livres ou des magazines qui évoquent des cas semblables au vôtre, avec les témoignages de ceux qui s'en sont sortis. Écoutez des cassettes audio ou regardez des vidéos de conseil et soutien. Ayez recours à des ouvrages qui ont trait au développement personnel, à la vision positive, aux techniques de détente, etc.

13. Écrivez votre gratitude

L'exercice peut sembler un peu mièvre mais il va vous donner très vite une bonne bouffée de bien-être. Écrivez tout ce dont vous êtes reconnaissant en ce moment même, si minuscules que soient ces bienfaits.

14. Écrivez votre colère

Si vous êtes exaspéré, mettez par écrit tous vos motifs de colère. Ne réfléchissez pas. Écrivez aussi vite que possible tout ce qui vous énerve ou vous révolte, que ce soit une chose banale ou tragique. Je vous garantis que votre colère ne sera pas aggravée, au contraire, vous verrez d'autres sentiments la remplacer.

15. Mangez bien

Consommez quelque chose de léger, qui contienne le moins de sucre possible. Buvez du jus de fruits naturel ou de l'eau minérale.

Si votre dépendance concerne la nourriture, évitez les produits qui déclenchent la fringale. En général, il s'agit des gourmandises appréciées dans l'enfance, à forte teneur en sucre ou en matière grasse (crèmes, fromages) ; ils déclenchent l'envie d'en prendre toujours plus ou de vous jeter sur d'autres aliments. L'abstinence d'aliments « déclencheurs » est favorisée par un régime équilibré comprenant trois repas par jour.

16. Faites-vous plaisir, vous y avez droit

Utilisez l'argent que vous destinez normalement à votre drogue (sauf si vous êtes un dépensier compulsif) et payez-vous quelques caprices, ou mettez-le dans une tirelire pour vous offrir un beau cadeau plus tard.

17. Arrêtez le mouvement

Ne vous complaisez pas dans l'envie, la colère, la solitude ou la fatigue. Vous ne ferez que vous affaiblir.

Désintoxication

Si vous (ou une personne proche) avez abusé de produits toxiques, la désintoxication sous contrôle médical peut être nécessaire. C'est la période de sevrage pendant laquelle le corps se débarrasse de ses toxines. Il ne s'agit pas de guérison : la désintoxication n'est pas une garantie contre les rechutes, mais elle permet de vous engager dans la voie du rétablissement.

Il est important de consulter un médecin lorsque vous décidez le sevrage, car il peut dans certains cas comporter des dangers. Cela dépend du produit dont vous avez abusé, de la durée et de la quantité de cet abus. La cure de désintoxication peut être menée chez soi, sous la surveillance d'un médecin ou d'une infirmière, à l'hôpital, en établissement ou centre spécialisé.

Les effets du sevrage, « symptômes de manque », peuvent être légers ou aigus, allant du malaise aux crises nerveuses. Il existe même des cas mortels en l'absence de contrôle médical. Des aides sous forme de médicaments sont parfois nécessaires.

Certains toxiques, comme l'alcool, sont éliminés de l'organisme en quelques jours. L'élimination du cannabis peut prendre plusieurs semaines. Lorsqu'on est dépendant au Valium, les crises d'angoisse ou d'autres symptômes après sevrage peuvent mettre des années à disparaître complètement.

Comment savoir si vous avez besoin d'une cure de désintoxication ? Voici quelques indicateurs :
les hallucinations
la difficulté à respirer
les attaques d'apoplexie
les comas
les soudaines douleurs de poitrine ou de ventre
les comportements violents
le delirium tremens (convulsions, tremblements et hallucinations dus à l'alcoolisme)
vomissements, crachats de sang
une forte fièvre (température dépassant 39 °C)
un pouls dépassant 120 battements à la minute

5

Stratégies pour le long terme

La stratégie la plus importante qui permet d'atteindre l'équilibre émotionnel à long terme, pour tout le monde et non seulement pour les dépendants, c'est de faire connaissance avec les frontières psychiques et d'apprendre à les poser. Une fois vos frontières mises en place, il est plus facile d'utiliser toutes les autres stratégies et de résister aux pressions des gens qui vous incitent au mode de vie dépendant. Elles permettent aussi d'instaurer des relations bien plus gratifiantes avec les autres.

Une frontière est ce qui assure notre intégrité, qu'elle soit d'ordre affectif, physique ou sexuel. Quand nous en connaissons le fonctionnement, les frontières nous empêchent de faire du mal aux autres involontairement car ils se sentent à l'aise et en sécurité en notre compagnie et l'estime de soi remonte dès que nous nous en apercevons.

Le mot « frontière » évoque d'abord celle d'un pays. La frontière permet de contrôler les allées et venues, de ne laisser entrer chez soi que ceux dont nous avons pu vérifier l'identité et que nous savons pouvoir accueillir sans danger.

Une frontière est un dispositif de sécurité contre la potentielle invasion d'armées ennemies. Quand il s'agit de véritables murailles, telles que le Mur de Berlin qui coupait l'Allemagne en deux, personne n'a le droit d'entrer, mais personne n'a le droit de sortir. La forteresse devient prison.

D'une façon générale, les dépendants ont deux types de fonctionnement : soit ils ne se protègent pas assez et ils livrent passage aux personnes comme aux substances dangereuses ; soit ils se surprotègent en érigeant des murs au travers desquels personne ne peut entrer en contact avec eux et ils ne peuvent plus communiquer avec les autres. Dans les deux cas, ils ne conçoivent pas de frontière, de zone de contrôle.

Le récit suivant nous a été donné par quelqu'un qui avait érigé une muraille autour de lui. Il était coupé de ceux qui voulaient l'aider, de ceux qu'il aimait et dont il voulait être aimé.

J'aimais paraître autosuffisant, comme si je n'avais besoin de personne. On m'avait appris, quand j'étais enfant, que c'était comme ça qu'on avait l'air de quelqu'un qui réussit. Je le faisais très bien.

Mon mur d'autosuffisance signifiait que personne ne pouvait voir que j'avais besoin d'aide. En revanche, il n'y avait aucun mur entre moi et mon partenaire de longue date, qui me bousculait régulièrement, quelquefois avec un couteau, et qui me rabaissait constamment. Je buvais pour ne pas ressentir tout ça, et puis je suis devenu si dépendant que j'ai eu tous les problèmes que connaissent ceux qui boivent chaque jour. Entre autres, je risquais de perdre mon travail, donc l'argent et mon logement. Mais je ne pouvais en parler à personne. Si ridicule que cela puisse paraître maintenant, j'avais plus peur de l'opinion des autres que de l'enfer que je vivais.

Quand enfin j'ai abattu le mur que j'avais mis entre moi et les autres et que j'ai demandé de l'aide, quel soulagement ! Tout le monde m'a montré tellement de gentillesse, plus que ce que j'aurais imaginé. Pour la première fois en sept ans, ma situation a changé.

Paul

Mon propre cas est typique de l'absence de mur de protection. Presque tout ce que les gens me disaient me blessait et me poussait toujours plus dans ma dépendance au travail pour fuir ces atteintes, car je ne connaissais aucun autre moyen d'y répondre.

Avant mon rétablissement, si les gens me critiquaient, je les croyais toujours. Même si ce qu'ils disaient n'était pas vrai, je me disais que je devais me tromper. Dans les rares occasions où je savais qu'ils avaient tort, j'essayais désespérément de me justifier aux yeux de mes critiques. C'était moi qui essayais de changer pour leur convenir, pour qu'ils montrent leur approbation. En fin de compte, la plupart des gens disaient des choses positives sur moi (sauf en ce qui concernait ma dépendance !) mais ce résultat me coûtait effort, souci et appréhension continuels.

Pire, quand j'ai commencé à me soigner, les gens m'ont dit que je prenais mal des commentaires qui ne se voulaient pas critiques. Moi, je les considérais comme des critiques. Il fallait que j'apprenne à faire la différence.

Et puis surtout, est-ce que ça comptait, ce que les autres pensaient ? Cette question même a été pour moi un tremblement de terre. Jamais je ne me l'étais posée avant. Était-ce important, ce qu'ils disaient ? Cette question a été un tournant décisif. Au stade où presque tout ce qu'on me disait me faisait mal, j'attaquais ou je me défendais sans réfléchir. Ma langue allait plus vite que mes pensées. Maintenant j'ai appris à me taire, à me demander si ce que j'entends est vrai (je sais beaucoup mieux juger maintenant) et si c'est important. Alors je décide ce que je veux dire, ou ne pas dire. Je suis rarement blessée. Il y a très peu de contestation. La plupart du temps, je m'estime. Ces « frontières » sont probablement la chose la plus importante que j'aie apprise.

Deirdre

Quand devez-vous faire usage de frontières ? Quand vous avez besoin de protéger vos droits d'être humain et lorsque vous vous sentez poussé au comportement dépendant. La plupart des personnes en dépendance n'ont jamais appris quels étaient leurs droits en tant qu'êtres humains. En voici une liste partielle...

Mes droits d'être humain

1. J'ai le droit d'être affligé(e) de n'avoir pas reçu ce dont j'avais besoin et d'avoir reçu ce dont je n'avais pas besoin ou que je ne voulais pas.
2. J'ai le droit de suivre mes propres valeurs et critères.
3. J'ai le droit de dire non à toute possibilité quand je sens que je n'y suis pas prêt(e), qu'elle est dangereuse ou qu'elle viole mes valeurs.
4. J'ai droit à la dignité et au respect.
5. J'ai le droit de prendre des décisions basées sur ce que je ressens, sur mon jugement ou sur la raison de mon choix.
6. J'ai le droit de poser mes propres priorités et d'y répondre.
7. J'ai le droit de faire respecter mes besoins et mes désirs.
8. J'ai le droit d'aller jusqu'au bout d'une discussion avec les gens par qui je me sens rabaissé(e).
9. J'ai le droit de ne pas être responsable du comportement des autres, de leurs actes, de leurs sentiments ou de leurs problèmes.
10. J'ai le droit de faire des erreurs et de ne pas être parfait(e).
11. J'ai le droit de compter sur l'honnêteté des autres.
12. J'ai le droit de ressentir tout ce que je ressens.
13. J'ai le droit d'être en colère contre quelqu'un que j'aime.

14. J'ai le droit d'être uniquement moi-même, sans me dire que je vaux moins que d'autres.
15. J'ai le droit d'avoir peur et de le dire.
16. J'ai le droit d'expérimenter puis de laisser tomber la peur, la culpabilité et la honte.
17. J'ai le droit de changer d'avis à tout moment.
18. J'ai le droit d'être heureux/heureuse.
19. J'ai droit à mon espace et à mon temps propres.
20. J'ai le droit de me détendre, de jouer et d'être frivole.
21. J'ai le droit de changer et d'évoluer.
22. J'ai le droit d'améliorer mes capacités de communication de façon à être compris(e).
23. J'ai le droit d'avoir des amis et de me sentir à l'aise avec les gens.
24. J'ai droit à un environnement qui ne m'agresse pas.
25. J'ai le droit d'être plus sain(e) que ceux qui m'entourent.
26. J'ai le droit de prendre soin de moi-même, en toute circonstance.
27. J'ai le droit de m'affliger de pertes présentes ou de ce que je risque de perdre.
28. J'ai le droit de faire confiance à ceux qui méritent ma confiance.
29. J'ai le droit de donner et de recevoir un amour sans condition.

Le bon usage des frontières

Je me représente les frontières dont il est question comme ces « champs de force » invisibles. Cet espace énergétique de protection peut être large ou étroit selon mes besoins et je peux l'instaurer ou le faire disparaître à volonté, instantanément ou progressivement. Je me sens plus à l'aise avec l'idée de contours flexibles qu'avec celle d'une limite territoriale rigide. Ce type de frontière élastique pourra déjouer toute sorte d'intrusion maligne, la « catastrophe naturelle » comme le tir ennemi ou la mauvaise intention, et en même temps elle me permet d'accueillir tout ce qui me semble bon. Une telle zone d'alerte psychique concerne l'état physique, l'état émotif et le domaine sexuel.

Si je ne suis pas certain(e) de quelqu'un ou de quelque chose, je peux accueillir la personne ou la situation tout en recommandant à l'équipage de garder l'œil ouvert. Je peux avoir cette attitude vis-à-vis des idées, des commentaires, des critiques, en fait tout ce qui traverse ma vie quotidienne. Mes « champs de force » fonctionnent si bien que je ne suis pas forcément conscient(e) qu'ils sont à l'œuvre.

Frontières physiques

Il est important d'instaurer carrément certaines frontières physiques : là où notre « vaisseau spatial » se gardera d'aborder. Par exemple, j'étais fortement attirée par des hommes alcooliques violents qui m'ont fait assez de mal pour que je refuse de renouveler l'expérience. Si je ne franchis pas la porte d'un bar, alors j'aurai nettement moins de chances de rencontrer l'alcoolique tentateur. La porte du bar est devenue la frontière physique à ne pas franchir. Je n'ai même pas à me préoccuper d'une frontière sexuelle ou affective, étant donné que la limite spatiale me prémunit à l'avance contre les autres risques de transgression.

Cela vaut évidemment pour tout lieu, café, discothèque, casino, pâtisserie, etc. où se présente la tentation pour l'alcoolique, le drogué, le joueur, le boulimique, etc. Si la personne dépendante ne franchit pas la frontière physique, elle n'aura pas à lutter contre l'influence de ses compagnons de dépendance et elle ne devra pas ériger une frontière émotionnelle.

Abandonner ses lieux habituels de divertissement et les fréquentations qu'ils impliquent est une très bonne façon de fixer les limites qui aideront à sortir de sa dépendance.

Frontières émotionnelles

La technique du « disque rayé » est extrêmement utile face à tous ces bons vieux copains qui ne manqueront pas de vous inciter à la rechute. Elle se base sur le droit que nous avons tous de dire « non » sans nous justifier. Si vous ressentez qu'il faut émettre une justification, tenez-vous à une seule et répétez-la, si nécessaire, comme un disque rayé. Cela vous épargnera de longues et vaines discussions pour répondre à des attitudes ou à des discours insidieux. Dire tout simplement « non » vous protège bien mieux.

J'étais raide de peur à l'idée de revenir chez moi pour prendre des vêtements, alors que je séjournais chez de bons amis dans le but de sortir de ma dépendance. Ma voisine avait l'habitude de débarquer chez moi quand ça lui plaisait, à n'importe quelle heure, pour me faire des scènes. L'idée de me retrouver en face d'elle m'était insupportable et je n'avais admis mon état de dépendance que tout récemment. Je devinais qu'elle s'en servirait contre moi.

J'ai éprouvé un choc quand on m'a dit que la porte de ma maison était une frontière, que j'avais le droit d'en interdire l'accès à toute personne que je ne voulais pas voir.

« Mais elle va dire ceci ou cela, disais-je. Elle va transformer tout ce que je lui dirai comme ça lui plaira. » On me dit de répondre simplement : « Je ne peux pas te laisser entrer maintenant. »

« Quoi ? hurlais-je. Je ne m'en tirerai jamais comme ça ! »

Si vous devez répondre quelque chose, dites : « Je ne peux pas te laisser entrer maintenant, j'ai des choses à faire. » Ne dites rien d'autre. Répétez seulement cette unique phrase comme un disque rayé : « Je ne peux pas te laisser entrer maintenant, j'ai des choses à faire. » Et surtout ne cédez pas à la tentation d'expliquer quelles choses.

J'ai passé la moitié de la journée chez moi, et ma voisine ne s'est pas montrée. Mais pendant le trajet et chez moi, je n'ai pas cessé de marmonner : « Je ne peux pas te laisser entrer maintenant, j'ai des choses à faire » : cela m'a soulagé et calmé. Je savais que j'avais une arme contre elle et j'espérais presque la voir arriver. En fin de compte, cette journée a été très enrichissante, et je me suis senti bien longtemps après.

François

La première personne qui m'a parlé de ces frontières était une psychologue spécialisée dans les questions de dépendance. Elle donne un exemple du même ordre, où les sentiments que l'on éprouve sont le signal qu'il faut dresser des frontières.

Votre voisine ne cesse de débarquer à l'improviste. Vous l'aimez bien, mais elle commence à vous énerver : vous aimeriez qu'elle vous téléphone avant de venir, mais vous avez peur de la vexer si vous le lui demandez. Elle cesserait d'avoir un comportement amical et puis vous vous dites qu'elle arrêtera quand elle en aura fini avec ses travaux.

Qu'est-ce qui se passe ? Tout d'abord votre irritation (car vous savez d'instinct que l'on vous envahit) n'est pas prise en compte. Les sentiments de votre voisine, que vous imaginez connaître, sont considérés comme plus importants que les vôtres. (Il y a d'ailleurs là une invasion des frontières de votre voisine. Vous a-t-elle donné la permission de décider de ce qu'il en est de ses sentiments ?) Votre prédiction relationnelle à venir n'est fondée sur aucune certitude, uniquement sur ce que vous supposez de ses réactions futures. Vous l'avez classée comme quelqu'un de superficiel, susceptible, sans cœur et égoïste, sans vérifier avec elle si votre jugement est fondé.

Ce que vous avez prévu est ce qui arrivera effectivement si vous ne dressez pas votre frontière et si vous ne lui demandez pas de vous téléphoner avant de venir. Votre énervement ne fera qu'empirer, vous finirez par exploser, ce qui mettra probablement fin à des relations amicales. La voisine ne saura pas d'où le coup est parti et vous vous en voudrez d'avoir réagi trop violemment, tout autant que de votre lâcheté antérieure, en plus de la culpabilité inconsciente qui vous a conduit à vous laisser envahir au départ. Tout cela est très mauvais pour l'estime de soi. Ensuite, vous irez vous excuser sans même savoir pourquoi. À nouveau, vous n'aurez pas posé de frontière et vous aurez tout mis en place pour que la scène se répète.

De la même façon, vous mettez en scène les conditions de la rechute. Les sentiments décrits sont ceux-là mêmes que l'on cherche à compenser dans l'alcool, la drogue, etc. Mais on peut éviter de rechuter en fixant des frontières. Le choix devient clair et net : la frontière ou la dépendance.

DÉCLARATION DE FRONTIÈRE PHYSIQUE

J'ai le droit de contrôler les contacts comme la distance entre mon corps et ton corps et tu as le même droit vis-à-vis de moi.

DÉCLARATION DE FRONTIÈRE SEXUELLE

J'ai le droit de décider avec qui, quand, où et comment j'aurai une relation sexuelle.

DÉCLARATION DE FRONTIÈRE MENTALE-AFFECTIVE

Je crée ce que je pense et ce que je ressens et je choisis de faire (ou ne pas faire) ce que je fais (ou ne fais pas) ; et il en est de même pour toi.

Les frontières à instaurer

Voici quelques exemples d'instauration de frontière.

- Cette accusation est-elle vraie ?

- Sinon, qu'est-ce que je veux faire ?
- Si c'est vrai, est-ce important ?
- Je ne lui donnerai pas mon numéro de téléphone.
- Je ne le/la laisserai pas entrer. Je ne le/la laisserai pas dépasser ma porte d'entrée, ou la porte de mon séjour, ou la porte de ma chambre.
- Je n'accepterai pas d'appel téléphonique après 22 heures, même pour des amis.
- Je ne laisserai pas un collègue s'attribuer le mérite de mon travail.
- Je ne permettrai pas un baiser. Je ne m'approcherai pas de lui/d'elle à moins d'un kilomètre.
- Je ne permettrai pas que quelqu'un me reproche d'être gros (se), stupide, méchant(e).
- Dîner avec quelqu'un ne veut pas dire coucher avec lui/elle.
- Danser avec quelqu'un ne veut pas dire coucher avec lui/elle, ni se faire peloter.
- Je ne boirai pas, je ne jouerai pas, je ne me gaverai pas, etc.
- Je ne fréquenterai aucune personne dépendante.
- Je ferai respecter mes droits d'être humain.

Si vous devez avoir une entrevue délicate ou périlleuse, il peut être utile d'écrire d'abord ce que vous voulez dire ou d'en parler avant avec une personne compréhensive qui vous donnera un point de vue objectif. Si vous ressentez beaucoup de peur, cela peut vous aider d'avoir un(e) ami(e) à vos côtés pendant l'entrevue ou pendant que vous téléphonez. Les situations difficiles viennent souvent du fait que vous avez permis des violations de frontière pendant trop longtemps. Le ressentiment accumulé génère la peur : de ce qui sortira de votre bouche, ou des réactions de l'autre personne. Et il n'y a pas d'émotion plus paralysante.

Un exercice utile avant de dire « non »

Cet exercice est à faire avant de dire « non », lorsque l'on a reconnu qu'une frontière doit être instaurée. Répondez aux questions suivantes...

- Quelle sorte de frontière est nécessaire (physique, sexuelle, affective, émotionnelle) ?
- Pourquoi est-ce que je veux en instaurer une ?
- Cette frontière peut-elle me nuire ? faire du tort à d'autres ?
- Qu'est-ce qui pourrait l'annuler ?
- Que seraient les conséquences d'une telle annulation : pour moi-même ? pour d'autres ?

- Comment puis-je la maintenir ?
- Quels seraient les résultats de son maintien : pour moi-même ? pour d'autres ?

Si vous avez répondu à toutes ces questions, vous verrez clairement si la frontière envisagée est la bonne et si elle servira votre objectif sans créer trop de remous. Il arrive que l'on érige une frontière inadéquate ou inutile par peur d'en construire une autre.

Rappelez-vous que les frontières doivent être flexibles. Certains compromis peuvent être nécessaires, mais pas aux dépens de votre tranquillité d'esprit ni de votre rétablissement.

N'oubliez pas de maintenir vos frontières. Insister sur une limite un jour et y renoncer le lendemain créera une atmosphère de confusion et de peur qui vous amènera des ennuis. Beaucoup de dépendants se souviennent de punitions subies dans l'enfance pour avoir enfreint des « règles non dites » : un jour, pas de problème si on fait telle chose ; le lendemain, le même acte provoque une avalanche. À l'âge adulte, ils vivent dans la crainte d'enfreindre les règles non dites des autres. Ne pas maintenir une frontière stable provoque le même effet chez les gens qui vous côtoient : ils redoutent à tout moment vos sautes d'humeur.

Il peut être tentant d'instaurer en même temps des frontières dans tous les domaines de votre vie, surtout si vous avez connu un premier succès. Ne le faites pas. Instaurer une frontière est une affaire délicate, souvent douloureuse. En général, il s'agit d'un changement de fonctionnement qui vous engage pour le restant de votre vie. Les gens face auxquels vous dresserez des frontières vous en voudront au départ (mais seulement au départ !). Vous leur interdirez de faire quelque chose qu'ils avaient l'habitude de faire, parfois depuis des années. Ne paniquez pas. Ils ne vous rejetteront pas. Mais, sauf s'ils sont des êtres exceptionnels, ils ne vous diront pas qu'ils sont ravis du changement, surtout si ce sont des personnes dépendantes à qui vous refusez votre complicité en cessant de les fréquenter. Ils discuteront, chercheront à vous entraîner ; pourtant, si vous restez ferme, ils capituleront.

Les dix commandements du risque

Instaurer une frontière, c'est prendre un risque. Plus grand est le risque, plus grande est la récompense... mais aussi plus grande est la peur ! Voici « dix commandements » concernant la prise de risque qui peuvent vous aider à vous jeter à l'eau.

1. Tu découvriras que toute évolution est risquée.
2. Tu ne fuiras pas les options possibles.
3. Tu accepteras d'avoir l'air insensé et de te sentir mal à l'aise.
4. Tu chercheras un soutien émotionnel.
5. Tu accepteras de payer le prix.
6. Tu sauras qu'il peut être normal de changer d'avis.
7. Tu verras qu'être rejeté n'est pas la pire chose qui puisse t'arriver.
8. Tu accepteras de ne pas avoir de réponse.
9. Tu comprendras que si tu n'essaies pas, tu ne sauras jamais.
10. Tu reconnaîtras, au plus profond de ton être, que la vie est aussi précieuse que brève. Fais-toi confiance... écoute ton cœur !

6

Vers la guérison à long terme

En fait, une part de ce qu'il y a à faire pour sortir de la dépendance est agréable ; on peut même s'amuser ! Quant à la partie difficile, elle vous donnera une bien meilleure opinion de vous-même et finalement le bien-être. Certains efforts qui paraîtraient pénibles au début n'auront bientôt plus lieu d'être. S'occuper de sa guérison n'est pas que peine et lutte, c'est une aventure pleine de découvertes joyeuses.

L'un des facteurs les plus importants de la guérison est le soutien réciproque de ceux qui sont dans la même situation. C'est ce que proposent en particulier les « groupes de Douze Étapes des Alcooliques (et autres dépendants) Anonymes. Le chapitre 7 leur est réservé.

Si vous ne trouvez pas de groupe de soutien pour votre cas, d'autres mesures vous aideront à sortir de la dépendance. Vous pourrez en choisir un assortiment à votre convenance parmi celles décrites dans ce chapitre. Plus vous agirez, mieux vous vous sentirez !

Vous tirerez un plus grand bénéfice de ces techniques si vous avez en même temps recours à une assistance professionnelle. Le chapitre 8 en décrit les modalités.

Une chose à la fois : un jour, ou une heure ou même une minute chaque fois, voilà tout ce que vous avez besoin d'envisager. Ne vous projetez pas dans le futur, pensez à votre santé au jour le jour et vous bâtirez votre avenir. Veillez à ne pas dépasser cette limite temporelle : si vous ne pouvez rien faire à propos d'une situation aujourd'hui, ne vous en souciez pas aujourd'hui. De même, si vous ne pouvez rien faire au sujet d'un événement passé, ne ruminez pas dessus, laissez tomber.

N'oubliez pas de *respirer correctement*, de *rire*, selon les recommandations du chapitre 4. Ce sont des activités qui vous aideront à rester dans le présent. Pratiquez-les quotidiennement et non seulement en cas d'urgence pour une approche globale de la santé et de la psychologie du « bien-être ». Les pratiques proposées peuvent vous être d'un grand secours en une période difficile.

L'acupuncture est un adjuvant efficace. Choisissez votre praticien en suivant une recommandation sérieuse. La reconnaissance scientifique des bienfaits de l'acupuncture, en particulier dans le domaine de la dépendance, croît régulièrement. On pratique parfois des séances d'acupuncture devant un groupe pour démontrer aux nouveaux venus qu'elles sont indolores. Pour certains cas de dépendance, on peut planter des aiguilles dans le lobe des oreilles pour stimuler le foie et les reins. On les laisse en place de 20 à 40 minutes sans provoquer la moindre souffrance, souvent à la surprise du patient. Plantées sur le haut du crâne, les aiguilles peuvent stimuler la production d'endorphine et de sérotonine, ce qui réduit la sensation de manque, le stress physique et émotif. L'acupuncture est indiquée en cas de grossesse car elle peut remplacer ou compléter l'usage de médicaments pendant la désintoxication.

Pour aider à votre rétablissement, on recommande un *supplément en vitamines*. Cet antidépresseur naturel est un élément vital pour la reconstruction du système nerveux. Normalement en quantité suffisante dans une alimentation ordinaire, ces vitamines sont chassées de l'organisme par l'alcool et d'autres drogues. Non seulement vous vous sentirez mieux et moins en manque, mais vous constaterez aussi la disparition des bleus qui marquent la peau à la suite d'abus de toxiques. Ce genre d'effet contribuera à votre bonne humeur.

Ne remettez pas à plus tard. Faites maintenant ce que vous avez à faire : vous lever, téléphoner à un ami, aller à une réunion, sortir pour une promenade, bouger... L'ajournement développe le sentiment de culpabilité. Prévoyez d'accomplir *une tâche par jour*.

Tenez compte des *hormones*. Beaucoup de femmes n'ont pas conscience des conséquences sur l'humeur des changements hormonaux mensuels et de la ménopause. Les personnes en voie de désintoxication sont sujettes aux sautes d'humeur, et cette instabilité peut être aggravée chez les femmes à certaines périodes du mois, où la moindre impression négative risque de prendre des proportions exagérées. Vous ou votre thérapeute pourrait chercher des raisons psychologiques à une nervosité imputable à un déséquilibre hormonal. Notez les dates de vos règles ainsi que les jours particulièrement marqués de sentiments négatifs et voyez si vous pouvez établir un lien entre eux. Vous pourriez remarquer aussi que vous mangez plus de sucre au moment de votre changement de cycle. Les capsules d'huile d'onagre, en complément d'un régime équilibré, aident à niveler les variations hormonales ainsi que l'humeur. Si le remède est insuffisant, alors que vous voyez un rapport entre vos sautes d'humeur et vos cycles ou la ménopause, faites-vous faire un bilan hormonal. Le recours aux hormones de substitution comporte certains risques, aussi vous devrez avec votre médecin mettre en balance ces risques par rapport à celui d'une rechute.

N'essayez pas de vous amender trop vite. Beaucoup de gens, dès qu'ils ont commencé à faire abstinence, ont envie de s'en expliquer auprès de leur famille, d'amis ou parfois de collègues de travail, et de se répandre en promesses. Retenez-vous ! Si vous rechutez, vous aurez suscité de faux espoirs et vos proches auront du mal à vous faire confiance. D'ailleurs, la plupart des dépendants ont multiplié par le passé les promesses du type « je ne recommencerai pas » et il n'y a pas de raison qu'on les croie davantage aujourd'hui. Plus longtemps se prolongera la rémission de votre dépendance, plus la confiance des autres en vous grandira, sans que vous ayez à les convaincre.

Je connais de nombreuses personnes qui essaient encore de réparer les faux pas commis des années plus tôt lors de leur première décision d'abstinence. Elles ont choqué leurs proches en faisant surgir toutes sortes d'émotions perturbantes, en révélant brutalement des agressions sexuelles subies dans l'enfance, ou d'autres affaires graves, ou en épanchant inconsidérément leur honte à propos d'actes commis sous l'empire de la dépendance. Sachez que votre jugement est confus en cette période. En revanche, le temps et une prudente retenue font un excellent travail.

Ne vous inquiétez pas des rêves où vous vous adonnez à votre dépendance, surtout s'ils se terminent mal. Le rêve est une façon d'explorer les possibilités que nous avons envisagées, consciemment ou inconsciemment. Il vaut mieux rechuter en rêve, et se réveiller effaré d'un tel cauchemar, que de le faire « pour de vrai » et en subir les conséquences réelles ! Si votre rêve finit en cauchemar, il y a plus de chances que vous ne passiez pas aux actes.

Valorisez-vous. Écrivez trois faits positifs vous concernant sur un morceau de papier et collez-le sur le miroir où vous vous regardez chaque matin. Au réveil, lisez-les tout haut. Puis dites à votre image revalorisée : « Je t'aime. »

Si vous n'arrivez pas à trouver trois faits positifs pour vous décrire, demandez à une personne amie. Même si vous ne croyez pas à ce que vous écrivez, faites-le quand même. Votre inconscient entend tout ce que vous lui dites et il enregistre sans jugement. Au bout d'un moment, vous admettrez consciemment que ces affirmations sur vous-même sont vraies.

Allongez la liste de ces affirmations au fur et à mesure que vous en reconnaissez la vérité.

Comme vous avez pu être insulté(e) ou rabaissé(e) à la première, à la seconde ou à la troisième personne, formulez vos qualités à la première, à la seconde et à la troisième personne. Si, par exemple, quelqu'un affirme que vous avez de la bonté, écrivez-le :

« Moi, {votre nom}, j'ai de la bonté. »

« Toi, {votre nom}, tu as de la bonté. »

« Lui/elle, {votre nom}, il/elle a de la bonté. »

« {Votre nom} a de la bonté. »

Les affirmations positives ne manqueront pas de faire leur chemin même si le résultat n'est pas immédiat. L'effet peut d'ailleurs être instantané si votre ami(e) vous surprend agréablement en énonçant vos qualités. Elles rééquilibrent justement l'image dégradée que vous entretenez de vous-même.

Maintenant le temps du travail difficile est venu. Souvenez-vous en pratiquant certains des exercices suivants que votre dépendance ne s'est pas développée d'un seul coup et que vous ne vous rétablirez pas instantanément. Soyez un bon professeur pour vous-même. Demanderiez-vous à quelqu'un d'autre ce que vous vous demandez à vous-même ? Chaque semaine, vous devriez vous sentir un peu mieux que la semaine précédente. N'attendez pas la perfection, attendez un progrès dans la bonne direction. Souvenez-vous que tous les êtres humains ont le droit de faire des erreurs.

Rappelez-vous aussi que le progrès est plus lent pour ceux qui ont été dépendants de la cocaïne ou de drogues aux effets à long terme telles que le Valium ou les benzodiazépines. Mais toute personne qui se tient à un plan de guérison fait des progrès.

Pour constater objectivement vos progrès et pour aplanir vos variations d'humeur, faites chaque soir un bilan par écrit de vos bons et mauvais points de la journée. Si vous trouvez plus de mauvais points, ajoutez dans la colonne « positif » :

— mes intentions étaient bonnes,

— j'ai essayé,

— j'étais de bonne volonté,

— je n'ai pas bu, ou pris de drogue, ou joué, ou cédé à mon obsession, ou rechuté.

Ainsi vous découvrirez que le positif dépasse toujours le négatif. Quant aux « moins », vous pouvez en corriger certains le jour suivant. Ces listes de vos crédits et débits, si simpliste que semble la méthode, assurent l'équilibre de votre humeur autant que celui de vos comptes.

En ce qui concerne les effets à long terme de certaines drogues, consultez un *médecin* périodiquement. La réalité s'avérera bien plus encourageante que vos craintes. Beaucoup de maladies dues aux produits toxiques sont guérissables. Même le foie peut se réparer. Votre corps mérite de recevoir des soins. La dépendance étant la fuite de la réalité, chaque fois que vous y faites face, vous retirez à la dépendance une part de sa raison d'être.

Si votre médecin ne s'y connaît pas en matière de dépendance, demandez l'adresse d'un médecin spécialisé ou qui connaît des *associations* d'aide aux personnes dépendantes, telles que celle des Alcooliques Anonymes ou l'Association nationale de prévention de l'alcoolisme (ANPA) ou le « numéro vert » de Drogues Info Service ou les services d'information des hôpitaux. Il existe des Annuaires des associations de santé : patients, familles, informations, éducation, soutien...

Appelez à l'aide quand vous en avez besoin : des membres de votre groupe de soutien, des amis de confiance, votre thérapeute, un psychologue ou d'autres professionnels.

Ne vous justifiez pas quand vous dites « non », si l'on vous convie à boire, à vous piquer, à jouer, à une « grande bouffe » ou toute activité qui risque d'être une rechute dans la dépendance. Dites simplement « non, merci, pas ce soir ». Les gens seront beaucoup moins intrigués si vous laissez entendre que vos raisons sont ponctuelles, et vous n'aurez pas l'embarras de raconter que vous devez faire abstinence à vie. Si certains insistent, c'est qu'ils ont un problème eux aussi.

Répétez votre refus dès qu'apparaît une sollicitation qui risque de vous entraîner à rechuter.

Écrivez une lettre d'adieu à votre dépendance. Dites-lui combien elle a compté pour vous mais expliquez comment elle a détruit votre vie et pourquoi il vous faut absolument rompre pour repartir du bon pied. Si vous écrivez sincèrement, je vous garantis que cela vous aidera beaucoup à faire le deuil de votre drogue.

Cette lettre, vous pouvez la lire tout haut à un ami ou à votre thérapeute, pour renforcer son message et permettre aux émotions de sortir. Souvenez-vous que les émotions exprimées par votre corps ne sont plus à l'intérieur de votre système comme un poids ou une entrave.

Si vous n'êtes pas sûr(e) d'avoir écrit une lettre d'adieu vraiment sincère, consultez les « solutions » données à la fin de ce chapitre.

Les messages reçus dans l'enfance

Changez votre façon de penser. Le monde ne changera pas autour de vous, mais votre rapport au monde peut se transformer, votre attitude devenir moins craintive, plus confiante, plus affirmée et plus heureuse. La première étape est d'examiner quelles sortes de messages vous avez reçus pendant votre enfance, afin de les « reprogrammer » comme un logiciel dépassé.

Pour certains, il s'agit d'un simple pas en avant. D'autres éprouvent une forte charge de douleur, de frustration et de colère à cet examen. Pour moi, la prise en considération des messages de mon enfance a été fondamentale pour reconstruire mon amour-propre, et c'est le travail autour de ces messages qui m'a donné l'énergie de transformer la quasi-totalité de mes comportements destructifs. Cependant, le retour en arrière comporte certains risques car on ne peut prévoir les émotions qui surgiront.

Il y a quelques années, j'ai demandé à plusieurs personnes de retrouver les « slogans » familiaux de leur enfance, d'en étudier le sens et les implications. Certaines avaient besoin de beaucoup d'encouragements et de paroles positives pour se libérer et passer de l'autre côté, soulagées et plus fortes. Pour une ou deux, cela a pris une semaine et, temporairement, leur estime d'elles-mêmes a plongé au plus bas. En ce qui me concerne, j'ai surtout réagi par la rage, mais l'exercice m'a fourni les fondations à long terme du respect de moi-même.

Avant de vous lancer dans cette plongée, prévenez une ou deux personnes équilibrées de votre entourage ; si, au cours de l'exercice, vous prenez des coups et vous sentez démoli, téléphonez-leur. Vous pouvez, dans une telle occasion, consulter un psychothérapeute.

Pour commencer, partagez une page en deux colonnes. Remplissez celle de gauche de tous les messages de votre enfance qui vous viennent à l'esprit, jusqu'à vingt-quatre. N'analysez pas. Ne réfléchissez pas. Contentez-vous d'écrire au fur et à mesure que les formules surgissent dans votre mémoire. Donnez-vous dix minutes pour cet exercice, puis arrêtez-vous (vous pourrez en ajouter plus tard). Cochez les six messages qui vous font le plus réagir, quelle que soit la nature de cette réaction. Bravo ! Cela demande du courage et de l'honnêteté que d'inscrire noir sur blanc les messages de notre enfance. Et puis c'est un nouveau pas franchi dans la voie du rétablissement, car vous montrez que vous vous estimez assez pour faire cet exercice.

Les messages	**L'interprétation**
Montre de la bonté Ne réponds pas Tu n'écoutes jamais un conseil	Fais ce que je te dis, sans question
Attends que ton père soit rentré Tout ce que tu sais faire, c'est pleurer Moi, à ton âge, je devais... Je n'ai pas eu les avantages que tu as	... sinon, ça va barder ... et je vais te rabaisser ... ou te faire du chantage aux sentiments
Tu n'es pas comme... Pourquoi ne fais-tu pas comme... Tu ne peux pas avoir ça	Tu ne vaux pas grand-chose
On n'est pas comme eux On ne peut pas faire si bien qu'eux	parce que nous ne sommes pas aussi bien qu'eux
Tu ne vas pas sortir comme ça !	Tu n'as pas l'air de quelqu'un de bien
Ne va pas parler de ça	Ne vérifie pas les faits, ou ne cherche pas à te soulager en parlant avec quelqu'un
Regarde ce que tu nous fais	Tout cela est ta faute, pas la nôtre Tu es mauvais(e) Tu n'es pas reconnaissant(e)

Lise a noté ces messages reçus dans l'enfance alors qu'elle avait « décroché » depuis deux ans ; j'en ai fait l'interprétation dans la colonne de droite. Lise a alors franchi l'étape la plus importante : remplacer les messages d'origine par des messages positifs, c'est ce que vous devez faire pour remplir la colonne de droite de votre page. Cocher les messages les plus importants vous aide à voir qu'ils forment ensemble un seul message particulièrement fort. C'est probablement celui-là qui vous influence le plus dans votre mauvaise opinion de vous-même. Puis demandez-vous : avaient-ils raison ? La réponse sera « non », bien sûr !

Avant de remplacer les messages d'origine par des messages positifs, faites-vous une idée des différentes injonctions que peuvent recevoir les enfants, d'après la liste ci-dessous ; vous verrez que vous n'êtes pas seul(e) dans votre cas, et vous vous débarrasserez de ces injonctions et messages négatifs.

Injonctions et messages négatifs prononcés fréquemment dans les familles perturbées

INJONCTIONS NÉGATIVES

N'exprime pas tes sentiments
Ce n'est rien
Fais comme je dis, pas comme je fais
Travaille bien à l'école
Ne trahis pas la famille
Qu'on te voie mais qu'on ne t'entende pas
Ne réponds pas
Ne parle pas de la famille à l'extérieur ; garde les secrets de famille
Ne réfléchis ou ne discute pas ; contente-toi d'obéir
Ne dérange pas les habitudes
Ne te mets pas en colère
Ne pleure pas
Sois « sympa », montre de la gentillesse, de la bonté
Ne pose pas de questions
Surveille ta tenue
Il faut toujours se contrôler
Ne me contredis pas
Évite les conflits
J'ai toujours raison, tu as tort
L'alcoolisme (ou autre comportement pathologique) n'a rien à voir avec nos problèmes

Porte ton attention sur lui/elle (l'alcoolique, le malade) plutôt que sur mes/tes problèmes

MESSAGES NÉGATIFS

Tu devrais avoir honte
Je me serais bien passé(e) de ta naissance
Tu n'es pas un cadeau, je te jure
Les grands garçons (grandes filles) ne pleurent pas
Une fille (Un garçon) ne fait pas ça
Tu es une mauvaise graine, idiot(e), etc.
C'est ta faute
Tu sais comme nous t'aimons
Je me sacrifie pour toi
Nous ne pourrons pas t'aimer si...
Tu ne feras jamais rien de bon
Mais non, ça ne fait pas mal
C'est promis (mais non tenu)
Espèce de...
Tu ne vaux pas grand-chose
Dépêche-toi de grandir
Montre de la force
Non, tu ne peux pas ressentir ça
Ne sois pas comme ça
Tes besoins ne me conviennent pas
C'est à nous que tu le dois (tu es en dette)
Comment peux-tu me faire ça ?
Ce que tu peux être égoïste !
Tu me rends fou/folle
Tu veux ma mort
Ce n'est pas vrai
Tu me rends malade
Nous aurions préféré un garçon/une fille

Cela vous dit quelque chose ? Ces messages sont aussi néfastes maintenant qu'ils l'étaient dans votre enfance, et ils ne valent pas mieux pour les autres enfants. Notez qu'ils sont renforcés par des injonctions interdisant l'expression saine des sentiments et la solution aux problèmes. Ainsi nous apprenons que nous sommes mauvais et que cela ne porte pas à discussion.

Il est important de savoir que les parents transmettent ce qu'ils ont eux-mêmes expérimenté, les messages reçus de vos grands-parents, qui les ont reçus de vos arrière-grands-parents et ainsi de suite. Bien des parents souffrent encore de ce qu'ils ont entendu, sans en être conscients, et vous le répètent comme si ces messages ne pouvaient pas être blessants. Maintenant, brisez une longue chaîne de générations et commencez votre propre dynastie !

Reprogrammation

Voici quelques exemples de remise à jour du « logiciel » mental.

Ancien message	*Nouveau message*
Les autres d'abord Raison familiale, « raison d'État »	Tous les humains sont égaux Je compte aussi J'ai les mêmes droits que tout autre être humain
Éloge de soi-même n'est pas éloge	La véritable humilité est de m'accepter comme je suis, dans mon bien et dans mon mal
Tu ne vaux pas grand-chose	Je suis parfaitement moi-même Rien ne me manque fondamentalement
Je ne peux pas être parfait(e)	Je peux faire exactement ce que j'ai à faire
Ce n'est pas permis d'être aussi nul(le)	J'ai le droit de faire des erreurs
Il faut être fou (folle) pour en arriver là Tu aurais dû savoir	Qui m'a donné de bons exemples ? Qui m'a appris ?

Souvent, la dépendance empire d'autant plus que l'on s'est éloigné de la foi en une force supérieure, une justice ou un amour transcendant. *Croire à nouveau* en la possibilité de se connecter à une force aide à la guérison. Le manque d'espoir ne vient pas de la dépendance elle-même mais, encore une fois, des messages reçus dans l'enfance.

« Si tu fais ça, Dieu te punira ! » Ce message, souvent entendu, a perverti mon rapport à Dieu. Il était quelqu'un qu'il fallait craindre et éviter à tout prix. Au lieu de le rechercher comme un soutien, comme un guide, j'ai pris mes distances de façon que Dieu ne puisse voir mes fautes et mes imperfections. Cela a joué dans ma manie perfectionniste : quels que fussent mes efforts, ce n'était jamais assez bien, je n'avais pas de valeur. À l'âge adulte, j'ai retourné ce message sous diverses formes : « Je suis une personne en évolution, il est normal de faire des erreurs au cours du voyage » et « Dieu m'aime sans condition car je suis Son enfant. »

Jerry Moe,
responsable d'une association
d'aide aux enfants d'alcooliques

Rectifiez vos mécanismes mentaux

Consolidez votre travail sur les messages reçus dans l'enfance en étudiant vos mécanismes mentaux habituels. Vos humeurs et vos attitudes dépendent de votre façon d'interpréter les événements.

Il vous faudra plusieurs jours pour reconnaître vos mauvaises façons de traiter l'information, vos préjugés en cas de stress, car vous devrez vous observer dans un certain nombre de situations différentes. Évidemment, prendre l'habitude de changer de cap quand apparaissent ces distorsions mentales, jusqu'à ce que la rectification devienne automatique, cela pourra demander quelques semaines ou plusieurs mois.

15 sortes de distorsion mentale

Voici différents types d'attitudes mentales inadaptées ou de croyances fausses.

LE TRI NÉGATIF

Vous sélectionnez les détails négatifs et vous les grossissez tandis que vous négligez tous les aspects positifs de la situation.

LA PENSÉE POLARISÉE

Tout est blanc ou noir, bon ou mauvais ; vous devez être soit parfait soit nul ; il n'existe rien entre les deux.

LA GÉNÉRALISATION ABUSIVE

Vous tirez une généralité d'un incident ou d'une seule pièce à conviction. Si quelque chose de mauvais arrive une fois, vous vous attendez à ce que cela recommence.

LIRE DANS L'ESPRIT DES AUTRES

Sans leur demander ou écouter leur avis, vous savez ce que les gens ressentent et pourquoi ils font ce qu'ils font. Vous « savez très bien » quels sont leurs sentiments à votre égard.

L'ATTENTE D'UNE CATASTROPHE

L'idée du désastre vous tente, dès qu'apparaît la possibilité d'un problème, les conjectures se déchaînent : « Et si... ? » « Et si un affreux accident survenait ? Et s'il m'arrivait le pire ? »

LA PERSONNALISATION

Vous vous imaginez que tout ce que les gens disent ou font a un rapport avec vous et vous vous comparez constamment aux autres : Suis-je aussi intelligent(e) que cette personne ? Laquelle des deux a meilleure allure ? etc.

LES FANTASMES DE CONTRÔLE

Soit vous pensez que l'extérieur vous contrôle et que vous êtes une victime impuissante du sort ou des autres ; soit vous êtes le centre privilégié du contrôle et vous êtes responsable de tous les bonheurs et malheurs de votre entourage.

LA PRÉTENTION DU JUSTICIER

Vous rongez votre frein parce que vous « savez » ce qui est juste, ce sont les autres qui n'y comprennent rien.

LE BESOIN DE DÉSIGNER UN COUPABLE

Si vous souffrez, c'est la faute de quelqu'un ; ou, au contraire, vous vous accusez de tous les maux.

LES SENS INTERDITS

Votre monde est balisé de règles rigides de comportement. Si l'autre ne réagit pas comme vous voudriez, c'est que vous avez commis une faute dont vous vous sentez coupable ; ou, au contraire, vous vous mettez en colère comme s'il n'avait pas le droit de déroger à vos attentes.

LE RAISONNEMENT ÉMOTIF

Vous confondez le sentiment avec la vérité. Ce que vous ressentez devrait automatiquement traduire la réalité. Par exemple, si vous vous sentez idiot(e) ou ennuyeux(se), c'est que vous êtes idiot(e) ou ennuyeux(se).

CHANGER LES AUTRES, OU LE FAUX PRÉALABLE

Vous pensez que les autres changeront si vous exercez des pressions sur eux ou si vous les cajolez suffisamment. Vous avez besoin de changer les autres parce que, pour vous, le bonheur n'est possible que si les autres changent.

LE JUGEMENT PÉREMPTOIRE

Un trait vous suffit pour avoir un jugement global négatif.

AVOIR RAISON

Vous avez toujours besoin d'affirmer que vos opinions ou actions sont les bonnes. Vous ne supportez pas d'avoir tort et vous vous obstinez à vouloir prouver que vous avez raison.

MARCHANDER AVEC LE CIEL

Vous vous attendez à ce que votre abnégation (ou le déni de vous-même) et vos sacrifices (volontaires ou non) vous rapportent les faveurs du Ciel, comme s'il y avait quelqu'un (à part vous) qui comptabilisait les points. Vous ressentez de l'amertume quand la récompense ne vient pas.

Un indice de distorsion mentale est la fréquence des sentiments douloureux. Vous vous sentez envahi(e) par la nervosité, déprimé(e), en colère. Vous êtes dégoûté(e) de vous-même. Vous ressassez toujours les mêmes problèmes.

La répétition des conflits avec votre famille et vos amis peut venir de vos façons de voir erronées. Notez bien ce que vous vous dites à propos de l'autre. Remarquez comment vous décrivez et justifiez le conflit.

Vos conclusions douloureuses sont basées sur des prémisses fausses, influencées par les expériences passées. Il en résulte de mauvaises interprétations, de mauvaises décisions, une mauvaise image de soi, des émotions éprouvantes et éventuellement la rechute.

L'exercice suivant vous aidera à identifier vos modes de raisonnement. Associez chacune de ces attitudes avec l'un des types de distorsion repérés plus haut, et voyez si vous vous reconnaissez.

Repérez vos (mauvaises) façons de raisonner

1. Je ne fais plus confiance à quelqu'un de séduisant.
2. Il y a pas mal de gens ici qui ont l'air plus intelligent que moi.
3. Si tu étais moins bloqué(e) sexuellement, notre mariage serait plus heureux.
4. Je me suis donné toutes les peines du monde pour élever ces enfants et regardez comment ils me remercient.
5. Soit tu es contre moi, soit tu es pour moi.
6. Ce pique-nique m'aurait bien plu si le poulet n'avait pas été brûlé.
7. Je me sens déprimé(e), donc la vie n'a pas de sens.
8. On ne peut pas lutter contre le système.
9. C'est ta faute si nous sommes toujours fauchés à la fin du mois.
10. J'ai su que c'était un perdant dès que je l'ai vu.
11. C'est injuste que tu puisses boire et moi pas.
12. Il me fait des beaux sourires mais je sais qu'il ne m'aime pas.
13. Je me fiche pas mal de ce que tu penses. Je referais exactement la même chose, de toute façon.
14. Nous ne nous sommes pas vus depuis deux jours et j'ai l'impression que c'en est fini de nos relations.
15. Il ne faut jamais poser de questions personnelles aux gens.

Remplacez vos déductions fausses par des attitudes positives et des constats objectifs, comme vous avez remplacé les messages reçus dans l'enfance par de nouveaux messages.

Gérer la nouvelle situation

Comment le dire aux autres

La façon de faire savoir à vos amis, votre famille ou votre employeur que vous êtes dans une démarche de guérison sera différente selon la personne à qui vous vous adressez. Si elle s'est rendu compte que vous aviez un sérieux problème, il est sage de lui faire savoir que vous aussi vous en avez pris conscience et que vous faites tout votre possible pour vous en sortir.

Il n'est pas souhaitable, en général, de faire davantage de commentaires et d'entrer dans les détails de ce qui vous est arrivé et de ce que vous entreprenez maintenant. Les gens qui ont une attitude saine ne tiennent d'ailleurs pas à en savoir plus, ils sont surtout contents d'apprendre qu'il y a un changement positif. Je me souviens d'avoir essayé de dire à un ancien employeur que j'avais commencé à prendre des mesures pour me soigner. Il m'avait arrêtée au milieu d'une phrase pour me dire : « Tout ce qui m'importe, c'est que vous vous sentiez plus heureuse maintenant. »

Un ami que j'avais perdu de vue pendant la pire période de ma dépendance, et avec qui j'ai repris contact au moment où je faisais mes premiers pas sur la voie de la guérison, m'a dit simplement : « Mais je t'ai toujours aimée, mon problème était seulement que tu te faisais du mal. » Vous verrez, vous rencontrerez beaucoup plus de sympathie que vous ne l'espériez.

Si certaines de vos relations souhaitent vraiment en savoir plus, soyez franc avec elles. Cela s'applique particulièrement à votre famille. C'est une période cruciale pour le devenir de vos rapports.

Si vous avez des enfants, il est important de leur faire savoir que vous avez changé ; ils ont été affectés par votre comportement de dépendance. Il peut être sage d'attendre quelque temps après votre décision d'abstinence, afin qu'ils soient à même de constater les résultats et de croire ce que vous leur dites. Si vous parlez trop tôt et que vous rechutez, vous aurez soulevé de faux espoirs et brisé leur confiance. Il leur sera plus difficile de vous croire à l'avenir.

Avant de parler à vos enfants, lisez l'Annexe I qui traite des mesures à prendre pour éviter que les enfants ne suivent leurs parents sur le chemin de la dépendance. Souvenez-vous des mauvais messages transmis aux enfants et des distorsions mentales dont il est question dans ce chapitre ; épargnez-leur vos propres maux. Ayez à cœur de leur transmettre les messages positifs que vous avez découverts. Grandissez ensemble. Souvenez-vous que les enfants prennent modèle sur leurs parents. Votre rétablissement est le meilleur gage pour leur avenir.

Aidez votre partenaire

Encouragez votre partenaire à prendre contact avec les associations d'aide aux familles des personnes en dépendance. Si les conjoints n'apprécient pas les réunions, ils peuvent au moins trouver des livres et des brochures qui les aideront à comprendre la situation et à mieux l'assumer.

Le travail

Faites votre possible pour choisir au mieux votre travail, dans une perspective de longue durée. Le mécontentement par rapport au travail que l'on fait est un des principaux facteurs de stress. Évitez de choisir un travail seulement en fonction du salaire, car votre insatisfaction peut être une cause de rechute. Une carrière ou une profession choisie est évidemment préférable à un « boulot » car elle offre des perspectives d'évolution, de prises de responsabilité, d'épanouissement. Un travail devient un « boulot » quand on est personnellement peu impliqué.

Cela dit, les personnes qui sortent d'un problème de dépendance sont souvent en situation d'opter pour des « petits boulots » ou des activités bénévoles. Les uns et les autres sont excellents pour renouveler l'expérience de la vie, pour se découvrir de nouveaux talents, apprendre à moduler ses humeurs, traiter avec ses nouveaux sentiments. C'est le moment de mettre en pratique un nouveau mode relationnel avec les autres, même pour la première fois. C'est l'occasion de vous concentrer sur vous et vos besoins, de vous reconnaître de l'intérieur, indépendamment du regard des autres et sans vous identifier à un travail. Cela est particulièrement important pour les « travaillomanes », ceux pour qui le travail est une drogue.

Si vous avez un travail très prenant et si vous ne pouvez ou ne voulez pas le quitter, déléguez ou allégez certaines de vos responsabilités. Calculez la quantité de travail que vous pouvez exécuter pendant les horaires et tenez-vous-y. Maintenant que vous avez l'esprit plus clair, vous pouvez découvrir qu'une partie de votre activité habituelle n'est pas du tout nécessaire et voir que vous pouvez prendre moins de temps pour une meilleure qualité de travail.

Soyez vigilant quant au secteur professionnel dans lequel vous entrez. Tout ce qui est en rapport avec les boissons alcoolisées est évidemment déconseillé. C'est parmi le personnel des cafés et des bars que l'on trouve la plus forte proportion d'alcooliques et le plus grand nombre de décès dus à la consommation d'alcool.

Réagissez à tous les symptômes de la dépendance au travail et suivez ces recommandations...

- Établissez des priorités, exécutez vos tâches par ordre d'importance, même si la première consiste à vous reposer ; restez souple, laissez la possibilité de vous réorganiser en fonction des besoins.

- Substituez, n'ajoutez aucune activité sans en éliminer une autre de votre emploi du temps, qui demande autant d'énergie et de temps.
- Déchargez vos horaires, prévoyez plus de temps pour chaque tâche ou déplacement que celui dont vous pensez avoir besoin.
- Prenez des récréations, inscrivez-les dans votre emploi du temps, ne les transformez pas en projets professionnels.
- Concentrez-vous, ne faites qu'une chose à la fois.
- Ralentissez le rythme, travaillez à un rythme raisonnable et faites une pause avant d'être fatigué(e). Ne vous laissez pas arriver au stade des nerfs en pelote.
- Détendez-vous, ne cédez pas à la pression et n'essayez pas de mettre de la pression sur les autres. Notez les gens et les situations qui vous mettent sous pression, prenez conscience des actes, mots, sensations physiques et sentiments qui signalent que vous êtes sous pression.
- Acceptez les résultats de vos activités, bons ou mauvais, quelles que soient les échéances. L'impatience, la bousculade et la poursuite obstinée de résultats parfaits ralentissent votre guérison.
- Équilibrez votre vie, contrebalancez votre implication dans le travail avec d'autres objectifs tels que la qualité des relations personnelles, la spiritualité, la créativité, le divertissement, la légèreté d'être.

Les nouvelles relations

Ne vous précipitez pas dans une relation amoureuse ou sexuelle. Essayez d'attendre un an car plus vous aurez avancé sur la voie de la guérison, plus saine sera la personne que vous choisirez. Au début de votre démarche de rétablissement, vous ne feriez probablement que répéter les expériences passées. Vous risquez de vous laisser attirer par un(e) « adepte de la treizième étape », un vétéran de la voie des « Douze Étapes » ou d'autres pratiques de soutien aux personnes dépendantes, habile à séduire les nouveaux ou nouvelles venus qui sont en état de vulnérabilité. Cette personne-là n'est pas encline à la rechute, mais ses victimes le sont souvent.

Quand on a récemment quitté l'objet de sa dépendance, quel qu'il soit, on est facilement tenté de le transférer sur une personne ou sur l'activité sexuelle. Vous risquez d'y passer le temps que vous devriez consacrer à votre rétablissement. Exactement comme une drogue, les émotions amoureuses et sexuelles peuvent servir à refouler les sentiments ou les sensations qui demandent à être reconnus. Ne passez pas d'une dépendance à une autre.

La dépendance bloque le développement de la personnalité à l'âge émotionnel où l'on est quand on commence à faire usage d'une drogue (un produit ou un comportement), quel que soit son âge réel. Vous avez donc cet âge émotionnel, qui est en général celui de l'adolescence. Peut-être rougissez-vous facilement ou vous sentez-vous gauche en certaines situations comme vous l'étiez à cette époque ? Vous devriez employer votre première année de rétablissement à mûrir et à développer vos facultés relationnelles avant de tenter d'instaurer un rapport de couple ou une véritable amitié.

Le questionnaire suivant vous aidera à vérifier si vous êtes entré(e) dans une relation de « codépendance », c'est-à-dire de dépendance à une personne.

Êtes-vous dans une relation codépendante ?

1. Placez-vous les besoins de votre partenaire avant les vôtres ?
2. Avez-vous frappé ou été frappé(e) par votre partenaire ?
3. Avez-vous peur de lui répondre quand il/elle vous a blessé(e) ?
4. Votre partenaire vous dit-il (elle) comment vous devez vous habiller ?
5. Souriez-vous quand vous êtes en colère ?
6. Éprouvez-vous des difficultés à établir des frontières personnelles et à les maintenir ?
7. Avez-vous peur de dire franchement ce que vous pensez ou ressentez à votre partenaire ?
8. Ressentez-vous de la nervosité, êtes-vous mal à l'aise quand votre partenaire est absent(e) ?
9. Vous sentez-vous rejeté(e) quand votre partenaire passe du temps avec des amis ?
10. Ressentez-vous de la honte quand votre partenaire commet une bévue ?
11. Avez-vous des rapports sexuels quand vous n'en ressentez pas l'envie ?
12. Privez-vous votre partenaire de « sexe » pour vous venger ?
13. Accordez-vous plus d'importance aux opinions de votre partenaire qu'aux vôtres ?
14. Comptez-vous sur lui/elle pour prendre la plupart des décisions ?
15. Êtes-vous très mécontent(e) quand votre partenaire ne suit pas votre plan ?

16. L'idée que votre partenaire connaisse vraiment vos sentiments vous fait-elle peur ?
17. Gardez-vous le silence pour éviter de faire des vagues ?
18. Avez-vous le sentiment de donner toujours et de ne rien obtenir en retour, ou trop peu ?
19. Trouvez-vous insupportable d'être en conflit avec votre partenaire ?
20. Êtes-vous malheureux/malheureuse en amitié ?
21. Dites-vous souvent « ce n'est pas si grave » ou « ce n'est pas si mal » ?
22. Vous sentez-vous « englué(e) » dans cette relation ?
23. Avez-vous la plupart du temps besoin de contrôler vos émotions ?
24. Perdez-vous le contrôle de vos émotions dans les moments de conflit ?
25. Avez-vous l'impression que votre relation s'effondrerait si vous ne faisiez pas constamment des efforts ?

Cinq ou six « oui » à ces questions indiquent que vous pourriez être (ou avoir été) dans une relation de codépendance. Plus nombreuses sont les réponses « oui » et plus malsaine est votre relation.

Si vous êtes actuellement dans une relation de couple, il vaudrait mieux ne pas prendre de décision à ce sujet avant un an. Il y a quelques exceptions, par exemple dans le cas d'une femme battue, ou lorsque le ou la partenaire vous entraîne à rechuter. Les femmes cèdent plus facilement que les hommes à la tentation de rechute sous l'influence d'un partenaire lui-même dépendant.

Entrer dans une relation affective ou en sortir représente presque toujours un événement crucial dans notre vie. Accordez-lui l'importance qu'il mérite en en parlant sérieusement avec des personnes de confiance avant d'agir.

Ne vous isolez pas si vous êtes homosexuel(le). Il existe des groupes de soutien dévolus aux homosexuels qui veulent sortir d'une dépendance, où ils peuvent librement parler de leurs expériences, de leurs problèmes et chercher ensemble des solutions.

Affronter les fêtes

Noël et le nouvel an sont des événements générateurs de stress pour tout le monde et le taux de suicides élevé en cette période de l'année en est la preuve. D'autre part, chez les personnes en cure d'abstinence, on a noté un fort taux de rechutes fin décembre et début janvier, également fin janvier en réaction compensatoire à un effort de sobriété pendant les fêtes.

Le stress de fin d'année vient d'un investissement plus fort en espoirs et désirs qui se voient déçus. Il vient du souvenir honteux d'abus d'alcool ou de drogue en cette période des années passées. Il vient du mitraillage médiatique de petites familles heureuses et comme il faut, ce que les alcooliques et autres toxicomanes n'ont jamais eu ou ont perdu. Un gouffre s'ouvre, on est dans le vide, on veut se raccrocher à quelque chose.

En cette période de fêtes, les dépendants sont également plus sensibles à l'image qu'ils présentent et l'épreuve est d'autant plus grande que cette image est éloignée de la perfection.

On m'a dit dans un centre de cure que les mères sont alors envahies par un sentiment de culpabilité. Elles réagissent souvent en dépensant beaucoup d'argent en vêtements et en jouets, ce qui ne fait qu'accroître le malaise de leurs enfants.

Quelles dispositions allez-vous prendre contre la rechute, voire même pour bien vous amuser ?

1. Rencontrez des amis dès novembre et parlez de vos appréhensions. Évoquez ce problème dans votre groupe de soutien ou à votre thérapeute, si vous avez l'un ou l'autre.
2. Planifiez les événements à l'avance en prévoyant autant d'activités positives que possible pour cette période. Où voulez-vous être à Noël ? Voulez-vous le passer seul(e) ? Avec des amis, avec votre famille, avec d'autres personnes dans votre cas ? Parlez-en avec les personnes concernées et prenez du plaisir à préparer l'occasion.
3. Ni panique ni hystérie, on reste calme.
4. Si nécessaire, ayez recours aux tactiques d'urgence proposées au chapitre 4.
5. Certains groupes de soutien se réunissent les jours de Noël et du nouvel an pour passer les réveillons fatidiques, où d'autres fêtards sobres sont les bienvenus. Profitez-en.
6. Si vous partez en villégiature, ne buvez pas de boissons alcoolisées même si votre problème n'est pas l'alcoolisme. Mieux vaut éviter le transfert d'un toxique à l'autre. Servez vous-même vos boissons pour éviter les discussions ou les cocktails surprise. Si la situation devient trop tendue, allez faire un tour ou isolez-vous dans une chambre. Prévoyez une porte de sortie si les choses tournent mal.

7. S'il vous faut aller à une soirée que vous redoutez, assurez-vous de pouvoir partir rapidement. Demandez à un ami de passer vous prendre à une certaine heure. Ayez un portable ou une carte de téléphone, assez d'argent pour prendre un taxi et préparez de bonnes excuses. Si vous avez des relations de confiance avec votre hôte ou certains invités, dites-leur franchement que votre cure passe avant tout.
8. Faites en sorte qu'il y ait suffisamment de boissons sans alcool et d'aliments pour ne pas vous retrouver dans un bar ou devant les rayons tentateurs d'un magasin. Ayez recours aux boissons exotiques, aux jus de légumes, aux mélanges agréables, aux garnitures originales et appétissantes.

Quand vous traversez sain et sauf Noël et le nouvel an, vous découvrez que vous pouvez vous divertir sans votre drogue. Vous construisez de solides fondations pour l'avenir ; le retour des fêtes de l'année suivante se passera facilement parce que vous pourrez vous baser sur de bons souvenirs.

Si vous séjournez loin de votre lieu habituel, renseignez-vous à l'avance sur les associations ou groupes d'entraide qui peuvent exister dans les environs, pour vous donner la possibilité de discuter de vos problèmes. Avec ces groupes de soutien, vous jouissez d'un grand avantage que la plupart des gens n'ont pas : vous rencontrez très facilement des gens nouveaux et amicaux, avec qui vous avez plein de choses en commun. Voyez si vous pouvez organiser des vacances avec d'autres personnes en cure d'abstinence.

Prendre soin de son corps

Le régime suivant propose des aliments éliminant les toxines, un régime reconstituant et des thérapies douces, naturelles.

Aliments conseillés

1. Fruits et légumes frais.
2. Céréales entières, œufs, poisson, de préférence aux viandes et aux produits laitiers gras, qui alourdissent le foie et les reins.

Aliments interdits

1. Pas d'aliments gras ou frits, mauvais pour le foie, la peau et la circulation.

2. Pas de sucre, ni d'aliments à base de sucre et de farine raffinés, qui éliminent les vitamines et les minéraux.
3. Beaucoup d'eau et d'infusions.
4. Pas de thé ni de café, qui éliminent vitamines et minéraux.

Régime reconstituant

1. Consommez les protéines et les glucides dans des repas séparés.
2. Les fruits et les légumes doivent former 80 % de l'alimentation.
3. Ne buvez pas au cours des repas.
4. La teneur en eau d'un repas doit être de 75 % (salades vertes ou mixtes, concombre, crudités).
5. Mâchez bien.
6. Pas de grignotages entre les repas. Ne mangez que lorsque vous avez faim.
7. Prenez vos repas à des heures régulières.

Thérapies naturelles

L'ACUPUNCTURE

Particulièrement recommandée pour traiter les symptômes de manque et les problèmes chroniques survenant après la désintoxication.

LE SHIATSU

Travail sur le corps pour libérer les blocages, redonner de l'énergie et activer la circulation sanguine.

LA RÉFLEXOLOGIE

Massages du pied particulièrement utiles contre l'insomnie, les maux de tête, les douleurs dues au sevrage et les problèmes digestifs.

L'HYDROTHÉRAPIE

Bains chauds et froids contre les douleurs du dos et des jambes.

LES HUILES ESSENTIELLES

Très utiles pour la relaxation, contre les contractures et les douleurs musculaires. Celles que l'on utilise le plus couramment sont les huiles essentielles de lavande, d'ylang-ylang et de romarin. Mettez quatre gouttes de chacune dans votre bain.

LES TISANES

Facilitent la digestion et rétablissent les équilibres chimiques du corps.

Recette de tisane : 1 part de camomille, 1 de scutellaire, 1 de menthe, 1 de cataire (herbe aux chats), 1 d'achillée, 1 de sureau, 1 de verveine. Faire infuser une petite cuillerée de ce mélange, en poudre (ou l'équivalent en poids), dans une tasse d'eau bouillante, en boire 3 fois par jour. Pour faciliter le sommeil, faites-vous une infusion à parts égales de : camomille, agripaume, scutellaire, passiflore, mélilot rouge, tilleul et 1/4 de part de houblon. Faire infuser une cuillerée de ce mélange dans une tasse d'eau bouillante, prendre 2 tasses dans la soirée.

LA MOXIBUSTION

Vieille méthode chinoise qui réchauffe certains points du corps pour améliorer la circulation, alléger les douleurs et stimuler les échanges internes. Bon pour lutter contre les coups de froid et la fatigue.

LES EXERCICES PHYSIQUES À L'OCCIDENTALE

Ils stimulent la circulation du sang et de la lymphe, la production d'endorphines. Ils encouragent également la communication avec les autres, la discipline et l'esprit d'équipe ; ils nous apprennent à connaître nos limites. Exemples : course de relais, course à pied, exercices d'échauffement, saut à la corde, basket-ball, volley-ball.

LES DISCIPLINES ORIENTALES

Le qi gong permet d'unir l'esprit, le corps et la respiration par des mouvements simples ou des postures méditatives. Le yoga élimine les tensions physiques et mentales. Ces deux méthodes favorisent l'expansion de la conscience et s'inscrivent dans une démarche de « réalisation de soi ».

LES VITAMINES ET LES MINÉRAUX

L'apport des éléments suivants pallie les carences dues à l'abus de produits toxiques (consultez un médecin pour votre cas personnel).

- La vitamine C : 2 g par jour sont nécessaires pour stimuler les fonctions du foie, la sécrétion d'adrénaline, la formation d'anticorps, pour lutter contre l'acidose, les infections, les altérations capillaires.

- Le groupe des vitamines B : il concerne la réparation des tissus nerveux, du foie et de la peau.
- La vitamine E : 400 ui par jour protègent les corps gras indispensables, améliorent les fonctions du foie, aident à la cicatrisation. Si vous êtes hypertendu(e), ne dépassez pas 50 ui par jour.
- La vitamine A : 10 000 ui par jour améliorent les fonctions d'élimination de la peau et des muqueuses, le fonctionnement du foie, rééquilibrent la peau sèche.
- La vitamine D : 1 000 ui par jour facilitent l'assimilation du calcium et donc fortifient les os, les muscles et les nerfs.
- Le zinc : 30 mg par jour équilibrent les réactions au stress, participent à la guérison des inflammations et améliorent la fécondité.
- Le fer : 10 mg par jour sont nécessaires en cas d'anémie.
- Le manganèse : il améliore l'assimilation de la vitamine F, la fécondité, réduit l'hyperactivité, intervient au niveau des os et des articulations.
- Le calcium et le magnésium : pour équilibrer le système nerveux ou réduire les douleurs osseuses, on en prescrit, ensemble, 300 mg par jour.

LA RELAXATION

Renseignez-vous sur les différentes méthodes de relaxation, sur la méditation (dont il existe diverses écoles).

Si, pour une raison ou une autre, les techniques suggérées dans ce chapitre ou les précédents vous semblent insuffisantes, allez voir une association ou un service spécialisé dans les problèmes de dépendance, qui vous orientera vers une assistance professionnelle (médecin, consultant, psychothérapeute, centre de cure, ou autre) ou vous proposera des réunions d'entraide. Les chapitres qui suivent traitent en détail des possibilités qui vous sont offertes.

7

Les « Anonymes » et les Douze Étapes

Il y a quelques années, un journaliste demanda au célèbre diplomate Henry Kissinger quelle était la chose la plus importante que les États-Unis avaient apportée au monde.
« Les Alcooliques Anonymes », répondit-il.

L'Association des Alcooliques Anonymes (AAA) et les autres groupements d'Anonymes fondés sur le modèle du « programme en Douze Étapes » sont devenus bien connus. Ils sont souvent mentionnés dans les médias ou même dans des films de fiction. Ainsi, on voit un personnage du film de Robert Altman *The Player* annoncer qu'il va se rendre à une réunion des AA, non parce qu'il a un problème d'alcool, mais pour prendre des contacts avec des producteurs de cinéma !

Dans divers pays, il existe des groupes de rétablissement « en Douze Étapes » pour pratiquement toutes les formes de dépendance.

Voici ceux que l'on peut trouver en France, outre les AA : Narcotiques Anonymes, Débiteurs Anonymes, Émotifs Anonymes, Codépendants Anonymes, Joueurs Anonymes, Boulimiques Anonymes, Survivants de l'inceste, ACAA (pour enfants adultes de familles dysfonctionnelles).

Le modèle du programme en Douze Étapes fut établi en 1935 par Bill Wilson, courtier en valeurs mobilières, et Robert Smith, chirurgien, dit « Dr Bob », qui fondèrent l'association des Alcooliques Anonymes. Chacun se débattait depuis des années avec de graves problèmes d'alcool lorsqu'ils se rencontrèrent par hasard, en parlèrent et purent ensemble mettre fin à leur alcoolisme.

Les deux rescapés décidèrent de répandre la bonne nouvelle, de faire connaître à d'autres ce qui avait marché pour eux. Le mouvement en expansion publia un livre qui témoignait de ses résultats, quatre ans après ses débuts. À cette époque, il comptait 100 cas de guérison.

Le livre s'intitulait simplement *Alcoholics Anonymous* (Les Alcooliques Anonymes), d'où le nom de l'association. Ses membres le baptisent familièrement *The Big Book* (Le Grand Livre). Le corps principal du texte n'a pas été modifié lors des deux nouvelles éditions et des nombreuses réimpressions de l'ouvrage, vendu à des millions d'exemplaires... Il retrace l'historique des AA, permet une bonne compréhension de l'alcoolisme et les moyens de s'en sortir. Après la deuxième édition, on augmenta le nombre des témoignages personnels, pour permettre aux personnes concernées par l'alcoolisme de se reconnaître parmi les cas décrits. Des dizaines de milliers de lecteurs souscrivirent à l'association. Elle compte à présent des millions d'adhérents dans le monde entier.

Lorsque les fondateurs des Alcooliques Anonymes eurent quinze ans de sobriété, ils rassemblèrent les connaissances tirées de leur expérience et de celle des autres membres dans un nouveau livre : *Twelve Steps and Twelve Traditions* (Douze Étapes et Douze Traditions), qui voulait « élargir et approfondir la compréhension des Douze Étapes décrites dans le premier livre ». Voici quelques extraits de l'introduction.

> *Les Douze Étapes des Alcooliques Anonymes constituent un ensemble de principes à caractère spirituel, principes qui, pratiqués en tant que mode de vie, peuvent éliminer l'obsession de boire et permettre à l'alcoolique de devenir un être heureux, sainement utile. [...] Bien que les suggestions aient été écrites principalement pour les membres de l'association, plusieurs amis des AA sont d'avis qu'elles peuvent susciter de l'intérêt et trouver leur application en dehors des AA. [...] Bien des personnes non alcooliques confirment que la pratique des Étapes des AA les ont rendues capables de faire face à d'autres difficultés de la vie. [...] Elles y voient un moyen pour aller vers une vie heureuse et prospère, que l'intéressé soit ou non alcoolique.*

Les Douze Étapes sont actuellement la référence de base de groupes de soutien diversifiés, s'adressant à différentes formes de dépendance. Les uns accueillent les personnes directement concernées, les autres leur famille, leurs amis, leurs employeurs et autres proches.

On trouve ainsi, notamment aux États-Unis (voir en début de chapitre pour la liste en France) :

Al-Anon, pour les familles et amis d'alcooliques (cette association existe en France sous le même nom)

Alateen, pour les jeunes enfants d'alcooliques

ACA, Adult Children of Acoholics (enfants adultes d'alcooliques)

Narcotics Anonymous, pour les toxicomanes

Families Anonymous, pour les familles et les amis de toxicomanes

Gamblers Anonymous, pour les drogués du jeu

Gam-Anon, pour les proches des personnes adonnées au jeu

Overeaters Anonymous, pour les boulimiques et les anorexiques

Sex Addicts Anonymous, pour ceux dont la vie est envahie et détruite par l'obsession sexuelle.

D'autres associations d'Anonymes concernent : la codépendance, la cocaïnomanie, l'endettement chronique, le tabagisme, la dépendance aux médicaments, au travail, les victimes d'inceste...

Certains groupes de soutien sont réservés aux médecins et aux dentistes, aux avocats, aux infirmières, pour les aider à faire face aux responsabilités particulièrement lourdes qu'ils ont vis-à-vis de leurs patients et clients tandis qu'ils cherchent à sortir de leur propre problème de dépendance. Il s'agit aussi de garantir le caractère confidentiel des échanges, d'autant que ces personnes risquent d'être rayées de leur ordre et de perdre leur principal moyen de subsistance.

Pour écrire les Douze Étapes, les auteurs n'ont pas hésité à explorer le domaine alors très nouveau de la psychothérapie, et ont notamment consulté Carl Jung. Ceux qui étudient aujourd'hui ce qu'on appelle la « psychothérapie dynamique » ou intégrative pourraient être surpris de ne découvrir, dans ce petit livre, rien qui n'aille dans le sens des connaissances et interprétations les plus modernes.

Ceux qui veulent sortir de leur dépendance trouveront une grande aide dans les réunions des Anonymes, avant même de mettre en pratique les Douze Étapes.

La première aide essentielle, comme l'ont découvert les fondateurs des AA, provient de la rencontre et des échanges avec ceux qui ont connu et connaissent le même type de souffrances. La plupart des nouveaux venus aux réunions s'imaginent que personne n'est aussi mauvais qu'eux, que personne ne boit, ou ne se drogue, ne joue, ne se gave, ne se comporte avec autant de folie qu'eux-mêmes, que personne ne vit dans de tels mensonges. Découvrir des gens qui vous ressemblent soulage immédiatement d'un certain poids de honte, de cette honte qui fait obstacle à la guérison.

Découvrir que d'autres personnes non seulement se sont aussi mal comportées que soi-même, mais en plus que ces mêmes personnes ont cessé de le faire suscite chez le nouvel arrivant l'espoir que lui-même peut réussir, qu'il peut faire confiance au modèle qu'il a sous les yeux. Ces gens ne bavardent pas sur des théories. Ils ont vécu le problème et ils ont trouvé la solution.

Participer à des réunions a également un côté pratique, car elles remplissent le vide laissé par le sevrage. Pendant ce temps, vous n'errez pas par des chemins dangereux, vous n'êtes pas exposé à l'environnement qui risque de vous entraîner à la rechute.

Les « vétérans » du groupe donnent leur numéro de téléphone aux débutants pour que ceux-ci puissent les appeler à tout moment lorsqu'ils craignent la rechute. N'hésitez pas à leur téléphoner. Ils font simplement pour vous ce que d'autres ont fait pour eux. C'est ainsi qu'ils les remercient. Et vous aussi, dans quelque temps, vous aurez à cœur de rendre le même service.

Souvent, après la rencontre, les participants se retrouvent au café pour bavarder, c'est « la réunion après la réunion », l'occasion de s'apercevoir que l'on peut se sentir à l'aise et s'amuser sans rien faire de spécial, surtout sans recourir à la drogue ou à l'alcool.

Dans *Le Chemin le moins fréquenté*[1], Scott Peck définit la différence entre l'amour d'un enfant et celui d'un adulte qui évoque le cheminement des adhérents aux Douze Étapes. Selon l'auteur, l'enfant « est aimé jusqu'à ce qu'il soit capable d'aimer », et l'adulte « aime jusqu'à ce qu'il soit aimé ». Les nouveaux venus dans un « groupe de Douze Étapes » sont comme des enfants sur le plan affectif. Ils sont aimés par les « anciens » jusqu'à ce qu'ils trouvent leur propre capacité à aimer. Puis, avec l'autonomie et la maturité affective, ils sont en situation d'aimer les nouveaux arrivants. Cela peut sembler idéaliste, mais ça marche !

On peut comprendre le fonctionnement de ces associations en se référant à la hiérarchie des cinq besoins humains. Ils constituent une hiérarchie en ce sens qu'un de ces besoins ne peut être comblé sans que le précédent soit comblé.

Le premier besoin est d'ordre physiologique et comprend : chaleur, nourriture, eau, abri et amour. Des expériences ont montré que les bébés macaques mouraient lorsqu'ils étaient privés de l'amour de leur mère. Chez les humains, l'accueil affectif du bébé est un facteur de l'épanouissement physique.

1. Paru aux Éditions J'ai lu, « Aventure secrète », n° 2839.

C'est seulement lorsque tous ses besoins physiologiques vitaux ont été assurés que l'on peut satisfaire un besoin plus large : la sécurité. Beaucoup de gens à tendance toxicomane n'ont pas traversé adéquatement ces deux phases. En général, ils ont été privés d'amour, par la mort ou l'abandon d'un parent, ou par des agressions. Ils n'ont pas connu la sécurité à cause d'adultes qui les couvraient de honte, ignoraient leurs besoins, réprimaient leurs sentiments, les battaient ou les violaient. Le groupe d'entraide peut être pour eux le premier environnement où ils se sentent aimés, en compagnie de personnes fiables, qui ne représentent pas un danger.

Sans l'expérience de la sécurité, les personnes « malades d'un manque » n'ont pu pourvoir à un troisième ordre de besoin : le sentiment d'appartenance à un ensemble, la solidarité. Ils s'identifient d'abord à des exclus. Là encore, l'échange avec des semblables dans un groupe de soutien répond à cette lacune.

Le quatrième besoin est l'estime de soi, et le cinquième la réalisation de soi, l'épanouissement. Vous y arriverez en suivant sérieusement un plan de rétablissement.

À quoi vous attendre quand vous demandez à participer à une réunion d'Anonymes ? Tout d'abord, vous pouvez vous faciliter la démarche en demandant à quelqu'un de vous accompagner, un proche ou un membre des Anonymes (de l'association relevant de votre cas). Ces derniers proposent ce service : ne croyez pas que vous demandez une faveur spéciale.

Lors des réunions, il y a toujours quelqu'un qui accueille les nouveaux, les présente à quelques personnes et leur délivre une documentation destinée aux débutants. Si vous arrivez en avance, on vous proposera probablement du thé ou du café pour patienter et vous détendre.

Les réunions peuvent durer d'une heure (si c'est au moment du déjeuner ou le soir) à une heure et demie (la plupart du temps). Un ou une « secrétaire » présente brièvement le pourquoi et le comment des réunions, explique qu'elles sont ouvertes à toute personne décidée à mettre fin à l'usage de sa drogue, qu'il n'y a pas de cotisation ni droit d'inscription, recommande la lecture exhaustive du programme des Douze Étapes, puis passe le relais à un « intervenant ».

Celui-ci ou celle-ci parle en général pendant une vingtaine de minutes. Ils racontent leur propre histoire de dépendance, ce qui s'est passé pendant cette période, comment ils en sont venus à admettre qu'ils avaient un problème, comment ils ont essayé d'y mettre fin, comment ils ont découvert l'association, ce qu'ils y ont appris et continuent d'apprendre pour maintenir leur sobriété et mener une vie plus heureuse et plus épanouissante. Parfois, l'intervenant parlera des problèmes qu'il rencontre dans sa vie et comment il y fait face en l'absence de drogue.

Pendant la suite de la réunion, les autres participants « partagent » leurs expériences. Ce peut être en résonance avec les propos de l'intervenant. Ils peuvent mentionner des problèmes similaires et comment ils les ont résolus. Ces échanges créent un lien fort entre les participants : ils peuvent se reconnaître les uns dans les autres et trouver espoir, courage, confiance, une vision positive de l'existence.

On consacrera une dizaine de minutes à un nouvel arrivant ou à quelqu'un qui trouve difficile de faire part de ses expériences. Dans ce dernier cas, les personnes les plus sûres d'elles-mêmes choisissent de se taire pour libérer la durée de parole.

À la fin de la réunion, on passe la « cagnotte » ; chacun doit se sentir libre de la hauteur de sa contribution et de ne rien donner du tout s'il n'en a pas les moyens. La réunion est clôturée par une « prière de sérénité » (voir la Troisième Étape plus loin dans ce chapitre).

Le nombre de participants peut varier d'une demi-douzaine à plus de cent cinquante (dans un quartier de grande ville). Certains sont là pour la première fois, avides d'aide, tandis que d'autres sont « rétablis » (sobres) depuis des mois ou des années. On peut trouver à des réunions des AA des gens qui n'ont pas bu depuis quarante ans ! On leur demande souvent pourquoi ils viennent encore, à quoi ils répondent : « C'est parce que je viens ici que je suis encore sobre. »

On vient d'abord aux réunions par nécessité, mais elles deviennent un plaisir : celui de la sympathie et de la solidarité qui font la véritable association.

On peut se faire aider par un « parrain » choisi dans l'association. Le parrain ou la marraine est volontaire pour vous épauler et vous guider à travers les Douze Étapes. En cas de difficulté, c'est la personne vers laquelle vous pouvez vous tourner en premier et le plus souvent.

Petite mise en garde : il est arrivé que certains « vieux routiers », en général des hommes d'une cinquantaine d'années, n'hésitent pas à emprunter de l'argent aux nouveaux ou nouvelles venus en état de grande vulnérabilité, qu'ils ne rembourseront jamais, ou bien ils les draguent. On ne les repère pas tout de suite car ils savent avoir d'excellentes manières. Tout ce qu'il y a à faire, c'est de refuser systématiquement de prêter de l'argent à un « ancien » ou d'aller au lit avec lui au cours de la première année de rétablissement. Ensuite, vous saurez comment prendre soin de vous.

Les Douze Étapes

1. Nous avons admis que nous étions impuissants devant… [nom de la drogue] et que nous avions perdu la maîtrise de nos vies

Le mot le plus important des Douze Étapes est le premier : « nous ». Le plan des Douze Étapes est efficace parce qu'il fonctionne en association. Ceux qui le suivent solidairement ont des histoires de vie similaires, se rencontrent pour surmonter les mêmes problèmes et dans le même but de guérir de la dépendance.

La première partie de la phrase est la seule des Douze Étapes qui mentionne le produit ou le comportement toxique et qui évoque la nécessité d'abstinence. Les onze autres étapes font référence à un mode de vie qui permet de rester sobre.

Le début de la première phrase est également important car il affirme qu'aucune action ne peut être entreprise pour trouver une solution tant que l'intéressé n'a pas admis qu'il y a un problème.

La deuxième partie de la phrase se réfère aux nœuds inextricables que crée la dépendance dans tous les domaines de la vie : impasses dans le mariage ou les autres relations, gêne dans le travail, précarité financière, système de valeurs chancelant, émotivité et réactions incontrôlables, incapacité à maîtriser son comportement, à tenir sa parole, à être ponctuel, multiplication des rendez-vous manqués… La liste des manquements qui s'engendrent les uns les autres n'en finit pas.

Regarder l'étendue des dégâts que génère la dépendance donne la motivation d'en sortir définitivement.

2. Nous arrivons à croire qu'une Puissance supérieure à nous-mêmes pourrait nous rendre la raison

La phrase peut être interprétée comme : « nous en sommes au point du dernier recours possible, à un ultime peut-être » et comme : « nous sommes venus ici, aux réunions, pour croire »… à une solution.

Une « Puissance supérieure à nous-mêmes » ne nous lie à aucune religion particulière, ni même à aucune religiosité. La formule rappelle que l'on a fait de la drogue une force plus puissante que soi. Que le recours à cette puissance qui nous dépasse peut être inversé positivement : un substitut qui protège nos intérêts et notre santé. Il n'est pas nécessaire de comprendre dès maintenant quelle est la nature de cette puissance supérieure, simplement d'accepter qu'il existe « quelque chose » dans la vie qui est plus attentif à notre existence que nous-mêmes, qui nous respecte plus que nous ne le faisons et qui est en train de prendre soin de nous.

Si vous avez des problèmes avec ce genre de notion, vous pouvez dans un premier temps voir les autres membres de l'association, avec leur expérience et leurs connaissances, comme un pouvoir plus grand que vous-même. Certains envisagent ce pouvoir comme étant la nature.

Les associations basées sur les Douze Étapes se considèrent comme étant d'ordre spirituel. On peut définir la spiritualité comme l'harmonie entre les plans affectif, physique et mental. On peut aussi considérer que la différence entre la religion et la spiritualité est que la première est le recours de ceux qui veulent éviter l'enfer et la seconde la visée de ceux qui ont déjà connu l'enfer. Tous ceux qui ont connu l'esclavage de la dépendance savent ce qu'est l'enfer.

La dernière partie de la phrase est « pourrait nous rendre la raison ». On peut définir la mauvaise santé mentale comme le fait de répéter inlassablement les mêmes actes dans l'espoir de parvenir à des résultats différents, c'est cela le comportement du drogué. Faire comme si la réalité n'était pas réelle, alors que justement on y réagit par la fuite dans la drogue, est une aberration malsaine. L'option saine est de virer de bord, de se joindre à ceux qui parient sur la santé. Et la santé, c'est de changer une attitude destructive en une attitude constructive.

3. Nous avons décidé de confier nos volontés et nos vies aux soins de Dieu tel que nous le concevions

Dieu, une Puissance supérieure à nous-mêmes, une Force supérieure… appelez cela comme vous voulez, ici ce que nous admettons est que notre volonté, si grande soit-elle, n'a pas pu nous sortir de la dépendance. Un facteur inconnu doit entrer dans l'équation.

La Troisième Étape affirme une décision, elle ne dit pas que nous sommes arrivés à remettre notre volonté et notre vie aux soins d'un pouvoir inconnu. L'étape à franchir maintenant est uniquement de prendre cette décision.

Une telle démonstration de bonne volonté, lâcher prise de la volonté personnelle, est la première des étapes « qualitatives » qui apportent le soulagement, la paix de l'esprit et une qualité de la vie qui se découvre à mesure que nous cessons de vouloir contrôler tout ce qui se passe autour de nous. Les deux premières étapes nous aident à nous abstenir de notre drogue. Celle-ci nous permet de découvrir qu'en dépit de nos idées arrêtées il existe d'autres voies de satisfaction, qui conduisent à la qualité de vie à laquelle nous aspirons.

Voici comment se termine le chapitre sur la Troisième Étape : il devient vraiment facile de commencer à mettre en pratique la Troisième Étape. Dans toutes les périodes de désordre émotionnel ou d'indécision, nous pouvons nous arrêter, demander la paix et, dans le calme, dire simplement : « Mon Dieu, accordez-moi la sérénité d'accepter les choses que je ne peux changer, le courage de changer celles que je peux, et la sagesse d'en connaître la différence. Que Votre volonté soit faite, et non la mienne. »

4. Nous avons courageusement procédé à un minutieux inventaire moral de nous-mêmes

Il y a trois règles simples à retenir en ce qui concerne la Quatrième Étape : mettre votre recherche par écrit ; savoir que vous ne pouvez vous tromper qu'en mentant ou en omettant délibérément quelque chose ; et mettre le moins de temps possible entre la Quatrième et la Cinquième Étape.

Une autre règle concerne la Cinquième Étape, mais il est bien de la considérer dès maintenant : choisir quelqu'un de confiance qui vous aidera à franchir la Cinquième Étape, mais qui peut vous aider dès la Quatrième. Ce peut être votre « parrain » ou « marraine » ; si vous n'en avez pas, trouvez-en un(e) pour l'occasion. Ce peut être un(e) psychothérapeute qui comprend le principe des Douze Étapes. Certaines personnes ont recours à un prêtre.

L'étape 4 consiste à faire la liste de nos tendances, les pires et les meilleures, selon nos comportements réels. Poser par écrit nos défauts signifie que nous sommes capables de les reconnaître et de les changer. Parfois, au moment même où nous les formulons, nous nous apercevons que nous avons commencé à en corriger certains dès nos premières démarches pour sortir de la dépendance. D'autres demanderont plus de temps. Pour beaucoup de gens, c'est la première fois qu'ils se voient tels qu'ils sont vraiment.

J'ai mentionné au chapitre 2 qu'au début de mon rétablissement on m'a demandé quel genre de personne j'étais. Étais-je bonne, méchante ? Est-ce que j'aimais m'amuser ? J'étais incapable de répondre. C'est seulement lors de la Quatrième Étape que j'ai pu mesurer mes atouts et mes manques. J'ai commencé à me voir comme une personne et non plus comme une machine à travailler.

Quand j'ai fait ce bilan écrit, je l'ai vu comme un test. Les idées que j'avais sur moi-même et ma vie avaient été si rarement validées que je ne savais pas si mes « réponses » étaient bonnes ou non. Un an plus tard, j'ai repassé cette Quatrième Étape (ce n'est pas obligatoire) et j'ai découvert un merveilleux sens de l'humilité : je n'étais première ni dans le bon ni dans le mauvais. J'étais ordinaire, comme mes actes. Pourtant, en écrivant mes qualités, je me sentais suspecte de mensonge. L'authentification de mes qualités me semblait plus extravagante que celle de ma réalité.

Il est typique des personnes qui ont un problème de dépendance de passer beaucoup de temps à faire la liste de leurs défauts sans même songer à mentionner leurs qualités. Le tableau complet comprend l'actif autant que le passif. La véritable humilité consiste à se voir comme on est, bon et mauvais. D'ailleurs, si vous vous laissez envahir par tous vos aspects négatifs, vous serez trop paralysé pour aller de l'avant.

Faites une pause, au cours de l'étape 4, si vous vous sentez fatigué ou submergé par les émotions. Téléphonez à des amis si la tension est trop forte, ou à votre parrain ou marraine. Ou passez à la rubrique des qualités. Vous pouvez passer de l'étape 4 à l'étape 5 puis revenir à l'étape 4.

« Il est sage de mettre nos questions et nos réponses par écrit. Ce sera une aide pour éclaircir notre pensée et pour un jugement honnête, est-il dit dans Les Douze Étapes. Ce sera la première preuve tangible de notre bonne volonté d'aller de l'avant. »

5. Nous avons avoué à Dieu, à nous-mêmes et à un autre être humain la nature exacte de nos torts

Cette étape est sûrement la plus cruciale pour le maintien à long terme de la sobriété et de la tranquillité de l'esprit. À ce stade, nous passons en revue avec une personne de confiance tout ce que nous avons écrit à l'étape précédente. Pour la plupart des dépendants, c'est la première fois de leur vie qu'ils reçoivent une validation. Après avoir livré leur bilan, ils apprennent souvent que leur auditeur a fait les mêmes choses qu'eux, ou pire. Leurs actes passés, même les plus honteux, ne les isolent plus. Non formulés, ces actes « sans nom » planent comme une menace diffuse. Mais quand ils prennent une forme limitée sur une feuille de papier et quand ils sont comparés aux actes d'une personne qui est devant soi, ils perdent leur pouvoir de distiller la peur et la honte. Il n'y a plus besoin de les boire, les ravaler, les jouer au sort, et on cesse de « rechuter » dessus.

Lorsque vous ferez part de vos qualités, vous découvrirez que votre auditeur y croit plus que vous-même ! Il les aura déjà comprises, mais ne les aura pas minimisées comme vous l'avez probablement fait.

La honte et le sentiment de culpabilité inhibent tout le monde, pas seulement les dépendants. La Cinquième Étape allège ce fardeau qui vous retenait en arrière.

La pratique de la « confession » est très ancienne. Les psychothérapeutes, qui ont succédé aux prêtres, soulignent le besoin profond de tout être humain de se livrer à l'introspection. Ce n'est pas un hasard si la plupart des centres de cure mènent leurs patients à une forme ou une autre de la Cinquième Étape, avant de les lâcher dans le monde pour qu'ils poursuivent leur développement.

6. Nous avons pleinement consenti à ce que Dieu élimine ces défauts de caractère

Aux étapes 4 et 5, nous avons identifié nos déficiences. Certaines d'entre elles nous ont conduits aux rechutes par le passé et peuvent nous y inciter encore. La plupart de ces défauts de caractère nous ont fait du mal et ont fait du mal aux autres. À présent, nous sommes volontaires pour y remédier. Nous n'avons pas besoin de savoir comment, l'important est que nous voulions changer ; l'expression « pleinement consenti » souligne que nous avons la volonté de viser haut.

Le livre des Douze Étapes résume clairement cette étape.

Plusieurs demanderont immédiatement : « Comment pouvons-nous accepter l'implication de la Sixième Étape ? Mais... c'est la perfection ! » Cela paraît être une question difficile, mais en fait elle ne l'est pas. Seule la Première Étape, où nous avons admis à cent pour cent notre impuissance devant telle dépendance, peut être pratiquée avec une absolue perfection. Les onze étapes suivantes sont des objectifs vers lesquels nous tendons et des jalons qui nous permettent d'estimer nos progrès. Vue sous ce jour, la Sixième Étape reste difficile mais pas impossible. L'urgence est de commencer, puis de persévérer.

Pour certains, entreprendre une psychothérapie est la mise en pratique des Sixième et Septième Étapes.

7. Nous Lui avons humblement demandé de faire disparaître nos déficiences

« Humblement » signifie avec la compréhension de nos aspects tant positifs que négatifs. L'humilité consiste à nous voir tels que nous sommes vraiment. Elle n'a rien à voir avec l'humiliation.

Maintenant que nous nous voyons plus lucidement depuis les étapes 4 et 5, et que nous acceptons avec l'étape 6 d'éliminer nos défauts, nous posons des fondations pour l'avenir. Dans Les Douze Étapes on déclare que, sans un certain degré d'humilité, aucun alcoolique ne peut rester sobre [...] Lorsque nous avons regardé honnêtement nos défauts, que nous en avons discuté avec quelqu'un d'autre et que nous avons la volonté de les voir disparaître, notre façon de voir l'humilité se modifie et prend un sens plus large. Il est probable qu'à ce stade on a été un peu libéré de ses handicaps les plus dévastateurs. Nous goûtons des moments qui ressemblent à une véritable paix de l'esprit. Pour ceux qui n'ont connu jusque-là que l'excitation, la dépression ou l'anxiété, c'est-à-dire pratiquement tous, cette paix nouvelle est un don qui n'a pas de prix [...] Alors que nous regardions auparavant l'humilité comme la pénitence forcée d'un misérable, nous voyons maintenant la sérénité.

Si l'humilité dont nous avons fait preuve dès la Première Étape, en admettant que nous étions impuissants devant notre dépendance, a eu un effet positif, alors elle peut aussi avoir un effet sur des déficiences moins graves.

8. Nous avons dressé la liste de toutes les personnes que nous avions lésées et nous avons résolu de leur faire amende honorable

Les Huitième et Neuvième Étapes ont trait aux relations personnelles. D'abord, nous regardons notre passé pour voir où nous avons commis des erreurs ; ensuite, nous faisons tout notre possible pour réparer les dommages que nous avons causés ; en troisième lieu, ayant balayé les débris du passé, nous voyons comment, avec une autre connaissance de nous-mêmes, nous pouvons développer les meilleures relations possibles avec chaque être humain que nous connaissons.

La Huitième Étape consiste à écrire la liste des personnes à qui vous devez réparation, tout en gardant à l'esprit que c'est probablement à vous-même que vous devez le plus. Ma liste était une liste d'événements pénibles pour moi. On peut inventorier les relations perdues, par la mort ou autrement, les pertes d'emploi, d'argent ou tout dommage qui nous affecte encore.

À la fin, marquez d'un « R » les événements réparables et d'un « I » les irréparables. Vous serez étonné de voir combien sont encore réparables. N'agissez pas tout de suite. La Huitième Étape consiste seulement à dresser une liste.

Sous l'emprise de votre dépendance, vous avez pu agresser ou voler des personnes ; mettez-les dans la liste, si elles ne sont déjà répertoriées dans la rubrique des relations ou emplois perdus.

La raison pour laquelle cette étape n'est pas une des premières est qu'il faut avoir l'esprit clair pour savoir à qui on est redevable et à qui on ne l'est pas. En ce qui me concerne, j'avais si peu d'estime pour moi-même au début de mon rétablissement que j'étais capable de dire pardon à la porte dans laquelle je m'étais cognée ! Il en était de même pour les gens, je considérais que j'avais tort sur tout, ce qui n'était pas le cas. Après avoir dressé ma liste, j'ai découvert que je ne devais pas autant de réparations que je l'aurais cru. « La Huitième Étape, c'est le début de la fin de l'isolement. »

9. Nous avons personnellement réparé nos torts envers ces personnes chaque fois que nous pouvions le faire sans leur nuire ou porter préjudice à d'autres

Rappelez-vous d'abord que cette étape arrive après la huitième et non la première. Vous avez besoin de tout ce que vous avez acquis au cours des huit étapes précédentes pour la mener à bien.

En deuxième lieu, dites-vous que l'abstinence est la meilleure réparation que vous puissiez donner à vous-même et à tous ceux qui vous entourent. Et plus longtemps vous vous abstenez de votre drogue, plus grande est la réparation.

N'essayez pas de vous amender tant que vous n'êtes pas assez sûr de vous pour assumer les conséquences d'un tel geste ; réparer n'est pas s'humilier. Ensuite, n'attendez aucune récompense particulière. Par exemple, n'espérez pas que votre employeur vous réembauche si vous lui remboursez l'argent que vous lui avez volé. La question n'est pas là. La Neuvième Étape a pour but de retrouver une conscience tranquille, de telle façon que vous ne rechutiez pas sur vos anxiétés.

Sachez qu'une réparation ne prendra pas forcément la forme que vous imaginez. Par exemple, si vous avez volé de l'argent à un proche, le rendre ne réparera pas le mal car ce que vous lui avez retiré, c'est la confiance, c'est donc ce que vous devez rétablir. Peut-être êtes-vous déjà allé dans ce sens en vous abstenant de votre drogue jusqu'à maintenant, ainsi que des comportements qui allaient avec, en rassurant vos proches sur votre capacité de continuer ainsi.

La deuxième partie de l'énoncé de la Neuvième Étape appelle à la prudence. Par exemple, si votre partenaire a retrouvé un peu de paix grâce à votre rétablissement, n'allez pas lui révéler maintenant vos infidélités passées. Il y aurait un nouveau tort à réparer, qui peut être un prétexte pour rechuter.

Enfin, si vous voulez réparer un tort vis-à-vis de quelqu'un qui est mort ou introuvable, vous pouvez faire une réparation « de proximité », par un geste envers une personne qui est dans une situation semblable. Ainsi, une femme qui voulait réparer ses torts envers l'enfant dont elle avait avorté prit le parti d'aider de jeunes mères en situation difficile avec des bébés, ce qui était une réparation envers sa propre situation passée. Certains écrivent des lettres ou des poèmes à une personne décédée ou cherchent à réaliser un vœu qu'elle avait émis.

10. Nous avons poursuivi notre inventaire personnel et vite admis nos torts dès que nous les avons découverts

La Dixième Étape est la seule qui puisse vous procurer une satisfaction rapide ! Admettons que vous veniez de vous disputer avec un proche. Demandez-vous : « Est-il plus important d'avoir raison ou de maintenir la relation ? » Si vous avez été injuste et si vous reconnaissez les faits, une simple excuse peut sauver vos rapports.

C'est aussi ce qui vous sauvera, car le ressentiment est une grande cause de rechute.

Dans les premiers temps du rétablissement, il peut être utile de récapituler par écrit, le soir avant de vous coucher, ce qui a été positif et ce qui a été négatif dans la journée. Certaines personnes font un bilan exhaustif à intervalles d'un an ou plus pour mesurer globalement leurs progrès. Ce type d'inventaire correspond à la fois à l'étape 10 et à l'étape 4.

11. Nous avons cherché par la prière et la méditation à améliorer notre contact conscient avec Dieu tel que nous Le concevions, Lui demandant seulement de nous faire connaî-

tre Sa volonté et de nous donner la force de la mettre en œuvre

C'est l'étape qui semble la plus « éthérée » mais elle se révèle la plus pratique... Une demi-heure de méditation le matin peut nous équilibrer pour toute la journée. Une promenade ou une méditation dans un parc après une dispute nous permet de prendre les bonnes distances et peut nous inspirer une solution.

La Onzième Étape est de lâcher prise après l'effort ; il s'agit de confiance. « Lorsque nous refusons l'air, la lumière ou la nourriture, le corps souffre, dit le texte des Douze Étapes... et lorsque nous nous détournons de la méditation et de la prière, nous privons notre esprit, nos sentiments et notre intuition d'un support vital. »

Pour ceux qui n'aiment pas l'idée de prier, le texte recommande la « mise en train » suivante, mots prononcés par un homme qui n'avait certes pas la réputation d'être un drogué, mais qui était passé par les épreuves que connaissent les dépendants.

> *« Seigneur, fais de moi l'instrument de ta paix, que là où est la haine j'apporte l'amour, que là où est le mal j'apporte l'esprit de pardon, que là où il y a discorde j'apporte l'harmonie, que là où il y a erreur j'apporte la vérité, que là où il y a doute j'apporte la foi, que là où est le désespoir j'apporte l'espoir, que là où sont des ombres j'apporte la lumière, que là où est la tristesse j'apporte la joie... Seigneur, fais que je cherche à réconforter plutôt qu'à être réconforté, à comprendre plutôt qu'à être compris, à aimer plutôt qu'à être aimé. Car c'est par l'oubli de soi que l'on trouve la vérité. C'est en pardonnant que l'on est pardonné. C'est en mourant que l'on s'éveille à la Vie éternelle. »*
>
> Saint François d'Assise

« Peut-être que l'une des plus grandes récompenses de la méditation et de la prière est le sens d'appartenance qui en découle. Nous ne vivons plus dans un mode totalement hostile, dit le livre des Douze Étapes, Nous ne sommes plus perdus, apeurés et sans but. »

12. Grâce à ces étapes, nous avons connu un éveil spirituel. Nous avons alors essayé de transmettre ce message à ceux qui

sont dépendants comme nous et tenté d'appliquer ces principes dans tous les domaines de notre vie

Cet « éveil spirituel » est la prise de conscience, physique, affective et mentale, qui se développe chez toute personne s'engageant dans un plan de rétablissement et restant à l'écart de sa drogue.

« Transmettre ce message » se dit aussi « pratiquer la Douzième Étape ». Il s'agit pour ceux qui se sont stabilisés d'aider des personnes souffrant d'une dépendance à franchir la Première Étape.

Les pratiquants de la Douzième Étape se portent volontaires, par roulement, pour prendre le numéro de téléphone d'une personne qui a besoin d'aide, lui rendre visite, parler avec elle, l'emmener à une réunion... C'est pourquoi les nouveaux venus ne doivent jamais hésiter à demander de l'aide : ils aident ainsi d'autres membres à remplir leur tâche.

Ceux qui pensent que la Douzième Étape va trop loin pour eux peuvent la pratiquer simplement en venant aux réunions. Une réunion réussie dépend du fait qu'au moins deux participants se sont montrés. Chacun permet aux autres de venir. C'est porter le message.

« Appliquer ces principes dans tous les domaines de notre vie », c'est vivre ces principes. Les Douze Étapes ne sont pas une théorie ni un ensemble d'opinions abstraites. Elles constituent un mode de vie qui réussit à préserver ceux qui le suivent des affres d'une dépendance mortifère.

Comme l'explique le livre des Douze Étapes :

> *Nos problèmes fondamentaux sont les mêmes que ceux de tout le monde, mais lorsque nous avons fourni un effort honnête pour « appliquer ces principes dans tous les domaines de notre vie », ceux parmi les alcooliques ou autres dépendants qui sont solidement rétablis semblent trouver la capacité de porter leurs soucis d'un pas léger et de les transformer en démonstration de foi. Nous avons vu des alcooliques endurer une maladie chronique ou mortelle sans se plaindre, et souvent avec un excellent moral. Nous avons vu des familles déchirées par les malentendus, les conflits ou l'infidélité réunies par le système des Douze Étapes.*

8

Rechutes et aide professionnelle

L'intervention

Ceux qui recherchent l'aide de professionnels dans le domaine de la dépendance sont d'abord ceux qui souffrent du comportement d'un proche. Mais la plupart du temps, si on essaie de faire reconnaître à quelqu'un qu'il est dépendant, sans le convaincre de faire quelque chose, non seulement il niera le problème mais de plus il se mettra en colère. Que pouvez-vous faire ?

Vous pouvez assister à des réunions destinées aux familles et aux proches de personnes dépendantes (voir le chapitre 7), pour vous aider à assumer affectivement votre situation au quotidien. Vous pouvez aussi avoir recours à une « intervention » professionnelle.

Il s'agit de réunir les parents et amis d'une personne en état de dépendance, avec cette dernière. Assis en cercle, en présence d'un thérapeute ou d'un psychologue qualifié tenant le rôle de « modérateur », ils tentent de faire admettre à cette personne qu'elle a un problème et qu'elle devrait rechercher un traitement. Chacun tour à tour affirme d'abord combien il tient à cette personne, mais dit aussi combien il a été affecté par un comportement ou un événement spécifique. Si les dépendants refusent les propos d'une seule personne, ils ne peuvent ignorer l'expression collective de leurs proches et leur désir de lui venir en aide.

Neuf interventions sur dix environ réussissent à amener une personne dépendante à prendre la voie du rétablissement. Lorsqu'elles ne déclenchent pas de décision immédiate, elles plantent une graine pour l'avenir et donnent à la famille, et aux proches, le sentiment d'avoir au moins essayé.

Une intervention réussie aide non seulement le malade mais aussi tous ses proches car ils ont enfin pu lui dire à quel point ils ont été affectés par sa maladie ; ils ont pu exposer leurs sentiments et leurs frustrations, au sein d'un groupe qui ne juge pas. En reconnaissant le problème, ils peuvent prendre des mesures pour s'aider eux-mêmes.

Avant d'organiser l'intervention, demandez à tous ceux qui seront là de faire une liste d'événements et de comportements précis qui les ont blessés. Plus les faits sont indiscutables, plus l'intervention sera efficace.

Les enfants adultes et adolescents sont souvent des participants très efficaces. N'emmenez pas des enfants trop jeunes, qui ont besoin que l'on s'occupe d'eux et vous distrairont de votre tâche. Ne faites pas venir des personnes qui pourraient avoir elles-mêmes un problème de dépendance car elles risqueraient de saboter vos efforts. Ne conviez pas non plus quelqu'un qui a le don d'irriter l'ami ou le parent à soigner.

L'assistance d'un professionnel est recommandée pour le bon déroulement de la réunion : quelqu'un formé à la dynamique de groupe, connaissant bien le domaine de la dépendance, qui va apporter son impartialité, calmer les humeurs, empêcher les propos hors sujet, mettre en lumière les idées vagues, extraire les informations pertinentes et introduire les connaissances de sa discipline.

Organisez une rencontre préliminaire avec l'intervenant professionnel pour que le groupe des proches soit le mieux préparé possible à l'intervention auprès du malade.

Le conseil

Le « modérateur » du groupe peut être celui (celle) qui recevra en consultation la personne dépendante. Il peut aussi l'orienter vers quelqu'un d'autre, vers un service spécialisé ou un centre de soins. Bien sûr, vous pouvez recueillir vous-même les informations sur toutes les sortes de traitements disponibles pour faire votre choix (voir le chapitre 6).

Il existe souvent des listes d'attente pour les centres de cure ; il vaut mieux demander le plus vite possible quand il y aura une place vacante et prévoir l'intervention au bon moment. Si elle est réussie, si la personne dont vous vous occupez admet qu'elle doit se faire soigner, il ne s'agit pas de gâcher par des délais cette précieuse opportunité.

Si vous êtes vous-même dépendant, peut-être reconnaissez-vous que vous avez besoin d'une aide professionnelle, après vous être vu rechuter en dépit de vos meilleures intentions et avoir essayé de suivre les recommandations de ce livre. Il ne s'agit pas d'un échec. Certains aspects de la dépendance ou de son contexte demandent à être abordés avec un consultant qualifié.

Les spécialistes

Ceux qui sont spécialistes de la prévention des rechutes peuvent demander à leur client de se consacrer pendant six mois à cette tâche, ce qui est peu au regard d'un rétablissement à vie. Ils demandent par exemple : « Qu'est-ce qui peut rendre la rechute plus difficile pour vous ? Peut-être de limiter vos ressources financières ? de supprimer vos cartes bancaires ? » Le client fait ses suggestions.

Ce dernier examine ses relations personnelles avec l'objet de sa dépendance. Il dresse sa carte psychologique en remontant à la petite enfance, à l'école et en explorant sa vie professionnelle. Il cherche quelles fréquentations, dans son enfance et à l'âge adulte, ont eu des liens avec sa drogue. Ensuite, on établit la chronologie de ses périodes d'intoxication. Un de ces spécialistes déclare que ce procédé amène souvent ses clients à des révélations bouleversantes.

Chaque épisode de rechute est ensuite examiné en détail. Retracer l'histoire d'une rechute est essentiel. C'est alors que nous pouvons déceler les signes annonciateurs ou les « déclencheurs » de la rechute, qu'ils soient extérieurs, intérieurs ou une combinaison des deux. Désormais le client peut prendre ces signes en compte et agir à ce stade.

Le suivi inclut donc l'identification des déclencheurs, la définition des réponses à y donner et un plan de rétablissement. Ce plan doit être réévalué de temps à autre par le thérapeute et son client et concerner tous les domaines de la vie : travail, santé en général, exercices physiques, régime alimentaire, relations, loisirs et plaisirs (voir le chapitre 6), mais sous supervision temporaire.

Il n'est pas nécessaire, bien sûr, d'attendre un grand nombre de rechutes avant de procéder à une consultation, pour soi-même ou quelqu'un d'autre. Vers qui vous tourner ? Ne vous adressez pas, sinon pour obtenir d'autres adresses, à un médecin généraliste ou à n'importe quel psychothérapeute, car ils ne reconnaissent pas tous la nécessité d'un traitement spécifique. Allez plutôt voir une association ou un service social ou médical spécialisé dans le domaine d'une dépendance : alcoolisme, drogues, tabagie, anorexie/boulimie, etc.

Veillez à ce que votre spécialiste soit membre d'une profession ou d'une association reconnue et soumise à un code déontologique.

Les meilleurs thérapeutes sont ceux qui ont eux-mêmes vécu la dépendance (ou côtoyé quelqu'un dans ce cas) et qui connaissent par expérience les moyens de s'en sortir. La personne qui vous aide et vous conseille, si elle est « passée par là », joue aussi le rôle précieux de modèle : elle est la preuve vivante que l'on peut être drogué ou alcoolique et cesser de l'être. En outre, elle ne se laissera pas berner par les stratagèmes liés à la dépendance. « Chat échaudé craint l'eau froide », dit-on.

Une bonne raison de ne pas s'adresser à des généralistes, en médecine, psychiatrie ou psychothérapie est qu'en général ils peuvent se permettre de boire, prendre de temps en temps des drogues ou des psychotropes, avoir des comportements occasionnels qui chez d'autres s'inscrivent dans une dépendance. Ils ne savent donc pas comment s'y prendre avec quelqu'un qui doit s'abstenir totalement et risquent de fournir un modèle inadéquat de « permission de non-abstinence ».

En revanche, si vous êtes déjà solidement rétabli, il n'y a aucune contre-indication à consulter un généraliste ou un spécialiste d'un tout autre domaine que celui de la dépendance pour traiter un problème particulier si le domaine abordé est extérieur à la dépendance.

En tout cas, votre thérapie doit être basée sur le principe d'abstinence. Autant que possible, choisissez un(e) thérapeute qui a l'air bien dans sa peau, qui exprime les sentiments que vous aimeriez avoir. C'est d'un heureux présage pour son client voué à l'abstinence.

Droits et devoirs

Il faut établir une charte des droits et responsabilités d'aide aux toxicomanes et autres dépendants, qui énoncerait tous ces critères...

- La reconnaissance du besoin individuel d'un traitement, dont le temps peut être pris sur un certain nombre d'heures de travail.
- L'accès aux services d'un spécialiste, avec délai d'attente limité.
- Une information complète sur les options thérapeutiques et sur les implications de toute décision concernant le traitement.
- Un programme individuel de soins et la participation de l'usager à l'élaboration écrite et aux révisions de ce programme.

- Le respect de l'intimité et de la dignité de l'usager, le secret professionnel et le devoir de fournir une explication dans le cas exceptionnel où une information serait divulguée.
- L'accès à un deuxième avis, après diagnostic ou prescription d'un médecin ou d'un consultant.
- La rédaction de protocoles d'accord entre le fournisseur de services et les usagers, spécifiant la nature et la qualité des services proposés et attendus.
- Le recours à des conseils juridiques ou à des instances de conciliation en cas de litige.
- Un système efficace d'enregistrement des plaintes.
- L'information sur les groupes d'entraide et les associations spécialisées dans les conseils ou le soutien aux personnes dépendantes.

OBLIGATIONS DE L'USAGER

- Observer les règles de la « maison » et les règles générales de comportement, par exemple ne pas consommer de drogue, d'alcool ou de tabac dans l'établissement, respecter le personnel ainsi que les autres usagers.
- Tenir ses engagements dans le cadre du traitement : venir à l'heure aux rendez-vous, suivre le régime prescrit, etc.

La liste des droits des usagers pourrait inclure celui de choisir son thérapeute ou consultant. Par exemple, il vaut mieux voir quelqu'un qui n'est pas du même sexe que la personne qui vous a particulièrement maltraité(e) dans votre enfance, sinon la mise en confiance peut être plus difficile. D'autre part, un patient qui appartient à une minorité ethnique peut préférer un thérapeute qui soit sensible aux différences culturelles. Un musulman alcoolique, par exemple, aura un problème particulier de transgression de sa religion, en plus du sentiment de culpabilité qui est partagé par tous les toxicomanes. Le thérapeute devra en tenir compte.

La thérapie de groupe

Cette thérapie de groupe peut vous être proposée immédiatement, comme alternative à la thérapie individuelle, ou après des entretiens préliminaires destinés à instaurer chez vous la confiance et l'ouverture aux échanges.

Les « groupes de parole » comprennent en moyenne une dizaine de personnes, qui s'assoient généralement en cercle de façon que chacun puisse voir tout le monde. Le cercle comprend un ou deux « médiateurs », dont le rôle est de faciliter la prise de parole et l'interaction positive. Ils suggèrent et orientent quand c'est nécessaire, sans imposer de directives.

On décide à l'avance si le groupe est fermé ou ouvert. Dans le premier cas, on prévoit un nombre limité de réunions, en général de six à douze. Les mêmes personnes commencent et finissent le stage ensemble, sans qu'y entrent de nouveaux venus en cours de route. Certaines réunions peuvent être consacrées à un thème particulier.

Le groupe ouvert n'a pas de limite dans le temps, de nouveaux participants peuvent s'y joindre à tout moment et d'autres en partir, de telle sorte que le « profil » du groupe change constamment.

Les membres du groupe ont en commun le même type de dépendance. Ici, personne n'est pire ou meilleur qu'un autre et vous allez découvrir ensemble des solutions semblables à des problèmes semblables.

Un participant peut ouvrir la réunion en exposant un problème particulier, rencontré maintenant ou par le passé. Le médiateur lui demandera s'il veut bien entendre ce que les autres auraient à dire sur le sujet, auquel cas les autres participants peuvent évoquer leur propre expérience d'un problème ou de sentiments analogues, et certains proposer la solution qu'ils ont déjà trouvée.

La qualité thérapeutique du groupe provient du lien créé entre personnes qui ont un état d'esprit similaire : des souffrances communes et la même volonté d'en sortir. Le groupe fait découvrir la solidarité et des amitiés saines. Il aide chacun à s'ouvrir sincèrement face à d'autres. Il débloque la honte paralysante que chacun éprouve par rapport à ses actes passés, en montrant que les autres ont agi de même. L'individu apprend à se voir plus lucidement en se confrontant aux réactions des autres. Les interactions du groupe permettent de développer des relations de respect et d'amour envers autrui. En résumé, c'est une bonne pratique pour la vie en général.

Les centres de soins

Pour des raisons médicales ou psychologiques, on peut opter pour un séjour en résidence. Le traitement comporte alors deux phases.

Première phase de traitement

Elle peut durer de quatre à huit semaines, selon les moyens du centre, de votre prise en charge par la Sécurité sociale ou selon vos progrès.

Le progrès consiste ici essentiellement à reconnaître les dégâts provoqués par votre dépendance et à entrer en contact avec vos sentiments.

Les centres de soins font intervenir en première phase les « groupes de parole », sur le modèle évoqué précédemment dans les thérapies de groupe. Hommes et femmes y participent ensemble. La ligne directrice de la thérapie est l'unité de la personne : harmoniser l'esprit, le corps et les émotions. Lorsque la personne n'est plus dissociée de ses sentiments, elle peut se reconnaître comme un être complet. L'impression de vide, qu'elle cherchait auparavant à combler par l'intoxication, disparaît.

Certains centres de soins fonctionnent sur la base des Douze Étapes des Alcooliques Anonymes (se renseigner auprès de cette association). Des statistiques ont montré que la plupart des anciens pensionnaires de ces centres, lorsqu'ils continuent à suivre le programme en allant régulièrement aux réunions des « Anonymes », sortent de la dépendance.

Dans cette première phase, on peut vous proposer le yoga, la méditation ou d'autres méthodes de relaxation, qui apprennent notamment à respirer correctement et à être plus conscient de son corps. De longues promenades dans la nature, si cela est possible, peuvent procurer beaucoup de bien-être.

Un avantage de la thérapie en résidence est que les patients peuvent se concentrer sur leur travail intérieur de rétablissement à l'abri des perturbations du monde extérieur. Ils apprennent à vivre pleinement « un jour à la fois », dégagés de l'appréhension du lendemain.

S'ils suivent le programme des Douze Étapes, les résidents quittent en général le centre après la Cinquième Étape, munis d'une bonne connaissance de soi et prémunis contre les « déclencheurs » de rechute.

Parfois, au cours du traitement de la première phase, on peut découvrir des problèmes qui demandent une plus longue exploration avant que l'on soit capable de résister durablement aux rechutes. Certains peuvent avoir besoin de mûrir une décision difficile concernant un partenaire « à risque ». D'autres, découvrant l'ampleur d'un traumatisme d'enfance dû à des violences physiques ou sexuelles, peuvent se sentir particulièrement vulnérables, exposés à de nouvelles agressions, et ont besoin de temps et de protection pour se restructurer.

Deuxième phase de traitement

Une prolongation de la thérapie en centre peut être recommandée pour les cas plus lourds. Vous n'avez pas besoin de prendre cette décision avant la fin de la première phase.

La seconde phase est moins intensive. Au lieu de trois réunions de groupe par jour, par exemple, vous n'en aurez qu'une par jour ou par semaine, plus une séance de thérapie individuelle par semaine. Dans les centres qui suivent le programme des Douze Étapes, on recommande aux patients de participer aux réunions qui y sont associées.

C'est la phase où les patients apprennent à reprendre leur vie en main : ils se préparent à retourner à la maison, à leur travail ou à d'autres situations. On insiste beaucoup sur la mise en place de frontières psychiques, on étudie la façon de les utiliser en toutes circonstances ; on peut vous apprendre à développer vos aptitudes et vous aider à vous orienter vers des études ou une formation professionnelle. Tandis que la première phase esquisse l'avenir, la deuxième établit des fondations.

Les indicateurs de réussite

On ne peut prédire à coup sûr la réussite de la thérapie. Cependant, on peut déterminer quels sont les dénominateurs communs à ceux qui se rétablissent durablement.

1. L'implication de la famille, si faible soit son soutien, est une condition notable de réussite de la thérapie.
2. Plus le statut social du dernier employeur du patient est élevé, meilleurs sont les résultats de la thérapie.
3. Les femmes sont plus nombreuses à poursuivre le traitement jusqu'au bout. On a aussi noté que les femmes thérapeutes comptaient plus de réussites que leurs collègues masculins, ce qui peut être lié au fait que leurs patients sont plus souvent des femmes.
4. Les alcooliques ont plus de chances d'arriver au bout de leur thérapie que les autres toxicomanes.
5. Plus la dépendance du patient est ancienne, meilleurs sont les résultats du traitement.

6. Moins les patients ont attendu leur entrée dans un centre, une fois leur décision prise, plus grandes sont les chances qu'ils mènent à bien leur thérapie.
7. Un précédent contact avec un groupe de soutien est un indicateur de réussite : peu de contacts est d'un meilleur pronostic que le fait d'avoir déjà eu une expérience de groupe prolongée ; c'est plus favorable que de n'en avoir pas eu du tout.

Les deux annexes abordent les cas de catégories particulières : les adolescents, les personnes à qui l'on a imposé un traitement, celles qui souffrent de troubles mentaux ou d'un handicap physique.

Conclusion

Changer l'avenir

Si vous avez lu jusqu'ici (félicitations !), cela montre une grande détermination à réussir.

Vous avez entre les mains des connaissances que les générations précédentes n'avaient malheureusement pas. Vous ne pouvez changer le passé, mais vous pouvez changer l'avenir, et pas seulement le vôtre. Vos démarches positives auront d'heureuses répercussions sur tous ceux de votre entourage qui auront l'occasion d'apprécier le changement. Vos relations en général vont s'améliorer et vous fréquenterez des gens qui vous feront du bien.

Si vous avez des enfants, vous pouvez leur offrir la chance de bien démarrer dans la vie en même temps que vous prenez un nouveau départ.

On a pu entendre quelques vedettes du cinéma ou de la télévision déclarer à leur réception d'un prix qu'elles n'auraient jamais gagné cette récompense si elles n'étaient pas sorties de leur dépendance, notamment grâce au soutien d'autres alcooliques ou toxicomanes. Par l'exercice de leurs talents elles ont transmis un message positif à des millions de gens. D'anciens drogués sont professeurs, infirmières, médecins, éducateurs, patrons ; d'autres changent la vie d'autrui grâce à leurs écrits... la liste des potentiels est longue.

Tous ceux qui sont sortis de la dépendance sont un atout pour le genre humain. Bienvenue !

Annexe I

Cas particuliers : les enfants et les adolescents

La mère d'un petit garçon de trois ans m'a demandé quand elle devrait commencer à éduquer son enfant en ce qui concerne les drogues. « Maintenant », ai-je répondu.

Tous les parents qui veulent faire de leur mieux pour que leurs enfants ne deviennent pas dépendants aux drogues doivent prendre quatre mesures :

- apprendre à communiquer avec leurs enfants,
- apprendre à les laisser exprimer leurs sentiments,
- apprendre ce que sont des frontières psychiques,
- s'informer sur les diverses formes de dépendance.

En lisant tous les chapitres de ce livre, vous aurez déjà bien avancé dans les deux derniers domaines. Informez-vous également sur les drogues spécifiques qui peuvent circuler dans le groupe d'âge de votre enfant.

En apprenant à exprimer vos propres sentiments à travers la lecture des chapitres précédents, vous avez déjà commencé à permettre à vos enfants d'exprimer les leurs.

Nous en venons donc à la communication avec les enfants, qui ne commence jamais trop tôt !

La prévention

On pensait encore récemment que le gouvernement australien était un champion de la prévention antidrogue car le sujet était officiellement inscrit dans les programmes scolaires. Curieusement, les statistiques ont montré qu'avec cette mesure, les enfants ont touché plus souvent aux drogues. La leçon à en tirer, c'est qu'il ne suffit pas qu'une information soit juste, la façon de la communiquer est essentielle. Par exemple, si un ancien toxicomane vient parler de son expérience à une classe d'enfants, il sera beaucoup plus convaincant qu'un professeur qui fait son cours.

Les enfants et les adolescents d'aujourd'hui sont placés devant des défis majeurs que n'ont pas connus les générations précédentes en âge scolaire : la diffusion courante de nombreux produits qui modifient l'humeur, l'incitation du groupe à consommer ces produits pour être « reconnu », avoir un partenaire amoureux dès la puberté, les divorces des parents et les familles multiples avec les nouveaux partenaires des parents, éventuellement leurs enfants. Ces conditions s'ajoutent aux conflits familiaux « classiques » et aux parents alcooliques, drogués ou « dysfonctionnels » qui peuvent faire beaucoup de mal à leurs enfants.

Il y a, bien sûr, une distinction à faire entre la consommation occasionnelle d'alcool ou de drogue et la propension à devenir dépendant de ces produits.

Les parents doivent se préparer à l'adolescence de leur enfant, se rendre compte qu'il s'apprête à être une personnalité autonome et qu'il y a une transition à assurer entre l'enfant et l'adulte.

Les adolescents subissent des changements psychologiques aussi importants que leurs transformations physiques. Il y a donc des mesures préventives à prendre.

La question de l'estime de soi devient cruciale pendant l'adolescence et déterminante pour l'avenir. L'estime de soi se construit sur trois critères : l'apparence, le prestige personnel et l'intelligence. L'image que l'on a de son corps se met en place à la fin de l'adolescence et ne bouge pratiquement plus. Si l'on se trouve gros à ce moment-là, on aura toujours tendance à se trouver trop gros même quand on a minci (d'où la possibilité d'anorexie).

Le « prestige » se réfère au groupe. Si un adolescent se sent mal adapté, il peut jouer de sa position en faisant le clown ou en prenant de l'alcool ou des drogues, et il continuera si l'image qu'il donne ainsi lui rapporte de la considération, du « succès ».

Si vous avez l'impression que votre enfant « joue à quelque chose », cherchez à savoir contre quoi il se débat (il pourrait par exemple se sentir idiot en classe), à comprendre le problème et à y répondre.

Un enfant construit une grande part de son identité dans ses relations avec ceux de son âge, auxquels il se compare. C'est vers douze ou treize ans, semble-t-il, que l'on est le plus influençable. Voyez pourquoi un groupe particulier attire votre enfant, avant d'encourager ou de décourager son influence.

Ces enfants sont en train d'apprendre à manier des outils sociaux et à former des relations. Pour les parents, il y a perte de pouvoir, leurs enfants se détournent des valeurs qu'ils leur ont apprises. Pas de panique : l'influence des petits camarades d'école décline après avoir atteint un sommet vers l'âge de treize ans, tandis que celle des parents se maintient à l'âge adulte. Les adolescents ne se séparent pas de leurs parents, ils modifient leurs liens avec eux.

C'est une période où les parents n'arrivent pas à communiquer avec leurs enfants qui changent de code en grandissant et se sentent incompris par les adultes.

Comment appréciez-vous que les autres vous répondent quand vous êtes irrité ou perturbé ? Les adolescents ont besoin de la même considération. Si vous ne pouvez exprimer vos propres sentiments, vous ne serez pas à l'aise en permettant à vos enfants d'exprimer les leurs.

Communiquer avec son enfant

On peut identifier sept modes parentaux qui ferment la communication avec leurs enfants au lieu de l'ouvrir.

LE MODE CAPORAL-CHEF

Des phrases comme « tiens-toi bien », « surveille-toi » ou « donne le bon exemple » demandent à l'enfant de se maîtriser et non de s'exprimer.

LE MODE MORALISTE

Les nombreux « il faut », « il ne faut pas », « ce n'est pas bien »... quand il s'agit de sentiments (les sentiments bienvenus étant ceux avec lesquels les parents se sentent à l'aise) nient l'affectivité de l'enfant et interdisent tout échange de points de vue. Dans ce cas, comment pourrez-vous plus tard amener une conversation sur un sujet plus important, tel que la drogue ?

LE MODE JE-SAIS-TOUT

Il n'y a pas de communication quand les discours des parents, leurs appels à la raison visent avant tout à affirmer leur supériorité sur l'enfant.

LE MODE JUGE-ET-PARTIE

Si le parent est celui qui a toujours raison, si l'enfant est présumé coupable avant tout débat, il n'a pas droit à la parole.

LE MODE CRITIQUE

Les parents qui usent souvent de remarques désagréables, de sarcasmes, de surnoms moqueurs à l'égard d'un enfant l'éliminent à l'avance comme interlocuteur.

LE MODE PSY

Quand on cherche à analyser les sentiments de son enfant, on ne les laisse pas être tels qu'ils sont.

LE MODE RASSURANT

Les parents s'esquivent de la situation lorsqu'ils traitent les sentiments de leurs enfants à la légère, avec une tape sur la joue ou un « ça va passer » ou « il y en a qui sont vraiment plus à plaindre que toi ».

Créer le dialogue

Comment s'attendre à ce que nos enfants viennent nous parler ouvertement de drogues ou d'autres problèmes sérieux si on leur a toujours fermé la bouche ? Dès que l'on modifie ce genre d'habitude, on commence un travail de prévention de la drogue. Suivent quelques lignes directrices pour communiquer avec votre enfant.

CHERCHER LE RESPECT MUTUEL

Exprimez-vous sincèrement sans craindre un rejet et permettez à votre enfant de faire de même. Vous pouvez discuter ses points de vue, mais vous devez reconnaître ses sentiments tels qu'ils sont.

ÉCOUTER

Sachez écouter aussi avec vos yeux en échangeant le regard. Concentrez-vous. Utilisez le langage du corps pour dire « je t'écoute », en vous penchant vers votre enfant, en lui faisant face.

OBSERVER

Apprenez à bien observer les formes de communication non verbales : expressions du visage, mouvements du corps, ton de la voix, allure générale, réactions aux autres.

VALIDER

Montrez à votre enfant que vous l'avez entendu. Reflétez ce qu'il exprime en le clarifiant. Reformulez son message de façon qu'il se sente accepté. Par exemple, votre fille pourrait rentrer à la maison en disant : « Mon prof est injuste ; je n'y arriverai jamais. » Vous pourriez répondre : « Tu es en colère et déçue ; tu baisses les bras. » Vous avez ouvert la communication.

RENVOYER LA BALLE

Vous avez écouté, clarifié et validé par vos propres commentaires les paroles de votre enfant. Faites de même après sa prochaine réponse, pour « alimenter le feed-back ».

ÉDUQUER

Parlez avec votre enfant des problèmes de drogue et de dépendance en termes faciles à comprendre. Faites-lui sentir qu'il n'est pas responsable des problèmes familiaux. Donnez-lui la possibilité d'apprendre des savoir-faire sains : identifier et exprimer les sentiments, affronter les problèmes et les résoudre, suggérer des activités qui peuvent lui donner le sens de sa valeur.

DÉLÉGUER

Aidez les enfants à repérer les personnes de confiance vers lesquelles ils peuvent se tourner pour être soutenus ou guidés. Montrez-leur qu'ils ne sont pas tout seuls, ni perdus sans leurs parents.

PRÉFÉRER LA RÉPONSE OUVERTE À LA RÉPONSE FERMÉE

Les réponses de type fermé procèdent de l'intention de clore l'échange : l'enfant ne se sent ni entendu ni compris. Une réponse ouverte reflète le message de l'interlocuteur et permet à la communication de s'étendre.

ÉCOUTER ET RÉFLÉCHIR AVANT DE RÉAGIR

Laissez à votre enfant le temps d'apprendre. Résistez à l'impulsion d'assener vos solutions. À l'adolescence les enfants ont encore besoin de soutien, mais plutôt que de formuler des exigences et des directives, il s'agit de les orienter à partir d'eux-mêmes.

La période de l'adolescence se passe beaucoup mieux pour les parents qui s'impliquent activement dans les relations avec leurs enfants. Les adolescents ont besoin d'une « source autorisée » et non d'autoritarisme. Ils ont besoin de participer à l'établissement des règles. Aménagez donc une « politique familiale » dans laquelle ils ont leur mot à dire, mais où les parents décident en dernier ressort. Les adolescents respecteront plus volontiers des règles ainsi établies.

Ici intervient la question des frontières (voir le chapitre 5). Les enfants ont besoin de savoir que le non-respect des règles entraîne des conséquences. L'alcool et les drogues (dont le tabac) sont concernés. Il y a lieu d'en parler parmi d'autres règles de vie, sans mettre ce sujet particulièrement en exergue.

Pourquoi les enfants sont-ils attirés par les drogues ? Pourquoi passent-ils aux actes ? Voici quelques réponses :
C'est une évasion
Je me sens invincible
C'est amusant
Pour être accepté par les copains
C'est difficile de dire non aux amis
C'est agréable
Je me sens adulte
Cela me détend

La raison donnée par les enfants qui ne consomment pas de drogue est la « peur de décevoir mes parents ». Et la différence qu'ils voient entre eux et leurs camarades consommateurs de drogue s'exprime ainsi : « Je parle avec mes parents. » Votre ouverture à la communication est vitale dans la prévention de la dépendance.

Résumé des mesures de prévention contre la drogue

1. Commencez à en parler tôt, et continuez d'en parler.
2. Recherchez les moments où vos enfants sont réceptifs, mais ne remettez pas toujours à plus tard.
3. Écoutez vos enfants ; renvoyez-leur ce qu'ils disent en le clarifiant.
4. Créez un réseau de communication avec les autres parents. Par exemple, si votre enfant dit que « tout le monde » va à une soirée, vérifiez-le auprès d'autres parents.
5. Apprenez à vos enfants à exprimer simplement leurs sentiments.
6. Ne les menacez pas : cela ne fait qu'entamer votre crédibilité.
7. Jouez à des « jeux de rôles » avec vos enfants, par exemple une scène où un camarade de classe propose une drogue, ou s'enivre, etc.
8. Respectez le comportement de vos enfants lorsqu'ils disent « non » et deviennent indépendants.
9. Félicitez-les quand ils font quelque chose de bien.
10. Donnez à votre enfant des qualificatifs positifs, par exemple, en lui disant qu'il fait preuve de « maturité ».

11. Développez des intérêts communs : allez ensemble à des fêtes, des événements sportifs, au cinéma, au théâtre…
12. Soyez un bon exemple : les enfants font comme leurs parents font et non comme leurs parents disent !

Les signes avertisseurs d'une consommation de drogue

- Négligence du travail scolaire
- Repli sur soi
- Fatigue chronique, léthargie
- Désintérêt envers les distractions ordinaires, le sport…
- Changement dans les rapports avec les parents
- Mensonges fréquents sur les occupations, les allées et venues
- Disparition soudaine d'objets de valeur ou d'argent dans la maison
- Sautes d'humeur sans cause apparente
- Comportements agressifs ou à caractère autodestructeur
- Crises d'hostilité inexplicables
- Toux sèche, maux de gorge
- Conjonctivite chronique sans cause décelable
- Attitude rebelle
- Isolement
- Changement de fréquentations

Vous serez peut-être surpris d'apprendre que c'est entre 16 heures et 18 heures que les adolescents ont le plus de chances de succomber à l'alcool, à la drogue ou au sexe. C'est pendant cette période qu'ils sont le plus souvent livrés à eux-mêmes, ayant quitté le collège ou le lycée alors que leurs parents ne sont pas encore rentrés du travail.

Vous avez trouvé de l'alcool ou de la drogue dans la chambre de votre enfant

- Ne vous affolez pas.
- Ne criez pas.
- Attendez vingt-quatre heures avant de dire quoi que ce soit et réfléchissez bien à ce que vous voulez dire.
- Parlez à un(e) ami(e) de confiance, demandez-lui son avis, cherchez l'aide de quelqu'un d'autre.
- Parlez à votre enfant.

- Rassemblez de l'information : qui ? quoi ? quand ? où ? pourquoi ?
- Sanctionnez votre enfant en le privant de certains avantages, comme l'utilisation du téléphone. Laissez-lui la possibilité de s'amender pour regagner ces avantages. Apprenez à votre enfant qu'il y a une conséquence à son comportement.

Cherchez une aide professionnelle.

Programme pour les enfants de familles à haut risque

Un enfant court un grand risque de devenir lui-même dépendant s'il existe déjà dans sa famille des cas d'alcoolisme ou de drogue.

Il faut d'abord bien faire comprendre aux enfants que la dépendance et la codépendance sont des maladies de la famille ; elles font souffrir tous les membres de la famille. En deuxième lieu, les enfants doivent admettre que la maladie de dépendance qui atteint leur famille n'est pas leur faute, et ensuite qu'ils courent eux-mêmes un grand risque de devenir dépendants ou codépendants.

Faire assimiler ces trois concepts aux enfants les aide à voir qu'ils ne sont pas seuls, que beaucoup d'enfants vivent dans des familles ayant des problèmes similaires.

Le premier jour du programme s'intitule « pas ma faute » ; il concerne la dépendance et la codépendance dans la famille. Le thème du deuxième jour est « tout ce que je ressens est normal ». Celui du troisième est « prendre soin de moi » ; il concerne la prise en charge des problèmes et l'attention envers soi-même. Le quatrième jour se déroule sur le thème « je suis spécial » ; il vise à développer l'estime de soi.

De l'abus à la dépendance

Certains parents ne voient pas de mal à ce que des adolescents consomment de l'alcool ou même des drogues « récréatives ». Mais tout produit assez puissant pour modifier l'humeur peut entraver leur développement normal. Et surtout, il peut entraîner des comportements irresponsables qui auront des conséquences à vie : une virée folle en voiture, des rapports sexuels irréfléchis aboutissant à une grossesse non désirée ou au sida, sans parler de la mort due à une dose d'ectasy.

Il est difficile de faire une distinction entre l'abus et la dépendance chez les adolescents car ils n'ont pas derrière eux une longue histoire de consommation. Les critères suivants pourront aider au diagnostic.

- Signes d'accoutumance, symptômes de manque (voir le chapitre 2).
- Importance plus ou moins envahissante du « produit » dans la vie de l'adolescent : préoccupation mentale, élaboration de plans pour l'obtenir, temps passé à « consommer », à « cuver », à ressasser les souvenir d'euphorie.
- Jusqu'à quel point la drogue (ou l'alcool) lui est-elle indispensable ?
- Jusqu'où l'adolescent(e) est-il (elle) prêt(e) à aller pour en consommer ?
- À quoi est-il(elle) prêt à renoncer pour cela ?
- Comment l'usage du produit a-t-il affecté son intérêt pour les autres domaines de la vie ?
- Perte de contrôle.
- Incapacité à s'arrêter malgré les conséquences.
- L'adolescent(e) tente de changer de circonstances plutôt que d'arrêter sa consommation.
- Existe-t-il une prédisposition héréditaire ?

Il est important de reconnaître la différence entre une consommation occasionnelle et la dépendance, de façon que la personne en dépendance reçoive le traitement approprié.

Il faut souligner l'importance fondamentale du groupe. Les adultes, même s'ils ont en commun avec les adolescents l'expérience de la dépendance, ne peuvent se substituer à ceux d'un autre groupe d'âge. Des réunions bondées d'adultes et orientées vers le traitement des adultes ne peuvent attirer les adolescents.

Pour déjouer cet écueil, il faut que l'adolescent se fasse escorter à ses premières réunions par un membre des Alcooliques ou Narcotiques Anonymes. Un adulte concerné lui-même par la dépendance peut être son mentor pendant quatre à six semaines. Il assistera aux réunions avec l'adolescent, le rencontrera après pour discuter, clarifier les concepts qu'il ne comprend pas bien, l'aider à mettre ces concepts en relation avec son groupe d'âge, l'école, les parents, les autres.

Les cas de traitement forcé

Pour faire tomber l'aversion contre un traitement, on propose un programme de six sessions par semaine de « prétraitement » ou de « motivation à se rétablir ». Cela est valable aussi pour ceux qu'une décision de justice ou la famille oblige à un traitement. Trois thèmes prédominent :

1. Prendre conscience des conséquences dans la vie de l'usage dépendant d'alcool ou de drogue.
2. Abandonner la croyance que l'on peut contrôler sa consommation.
3. L'abstinence supervisée.

Pour le premier point, les adolescents d'un groupe sont invités à participer à une séance de réflexion visant à formuler leurs problèmes du moment et à en dresser la liste. Il est bon que la liste énumère une bonne dizaine de problèmes. Jusqu'alors, les adolescents croient que leur vie est normale, que les problèmes qu'ils ressentent n'ont rien à voir avec leur consommation d'alcool ou de drogue. Ils ont tendance à penser que des adultes « hystériques » les poussent à se faire soigner sans raison valable. Ils n'ont pas encore eu le temps d'évaluer l'étendue de leur intoxication.

À ce stade, on ne mentionne pas les produits en question. On demande simplement aux personnes concernées d'en d'étudier la liste et de voir si elles peuvent déceler la cause des problèmes.

À la session suivante, on « ramasse les copies » puis on distribue de nouvelles feuilles sur lesquelles seront inscrites les « causes ». Il est impossible que le produit qui envahit l'attention dans la vie courante n'apparaisse pas, mais c'est aux participants de le noter. Quant au « devoir à faire chez soi », il consiste à chercher des solutions.

Il s'agit de voir quelles situations les adolescents considèrent vraiment comme un problème ; par exemple, ils peuvent être indifférents au fait d'être renvoyés de l'école mais ils trouvent très important de retrouver leur(e) petit(e) ami(e) !

Presque tous les clients reviennent à la troisième session en disant qu'ils doivent « modérer » leur consommation. Si l'adolescent n'est qu'un « amateur imprudent », il se maîtrisera. Sinon, c'est qu'il est dépendant.

Tout comme les adultes, les adolescents essaient de se prouver qu'ils peuvent contrôler la situation avant de se tourner vers l'abstinence complète. Nous devons respecter cette attitude, sans être laxistes pour autant. Ils doivent découvrir eux-mêmes ce qu'ils sont capables de faire ou non, trouver leurs propres raisons de mettre fin à leurs habitudes. Si vous vous contentez de leur affirmer qu'il n'y a aucun contrôle possible quand on est dépendant, ils réagiront négativement. Vérifier leur capacité de maîtrise les obligera à admettre où ils en sont. Même s'ils le font avec réticence, c'est plus important que tous les discours sur la dépendance.

On déconseille vivement d'accorder des faveurs aux adolescents accommodants, comme de punir ceux qui reconnaissent honnêtement leurs rechutes. Ces derniers sont les meilleurs candidats à la sobriété dans la mesure où ils font l'expérience consciente des effets de l'accoutumance.

À cette étape, le thérapeute et son client peuvent dresser ensemble un plan d'action « maintenant que nous savons que vous ne pouvez pas contrôler votre consommation de drogue ». Il peut s'agir d'abstinence pendant une période limitée, éventuellement pour prouver quelque chose à un parent ou un juge. À la fin de l'entrevue, avant que l'adolescent se mette à l'essai, on lui demande de faire une promesse. « Je pense que vous pouvez le faire. Mais au cas où vous ne le feriez pas, pouvez-vous me faire une promesse ? Dans le cas improbable où vous échoueriez, accepterez-vous de suivre un traitement ? » Son client promet, car il est certain de réussir.

À présent, nous entrons dans la troisième et dernière phase : l'abstinence supervisée. Elle concerne les personnes qui n'ont pas changé de vie. Elles continuent, par exemple, à fréquenter des « rave parties » où leurs amis prennent des drogues. Les adolescents n'ont pas encore appris à remettre à plus tard une gratification, ils obéissent aux impulsions. Ils sont également immergés dans une sous-culture de la drogue. Cela leur prendra un certain temps pour savoir pourquoi ils doivent abandonner certains amis.

On utilisera l'intervention familiale en dernier recours. On recommande aussi les échanges avec un « modèle vivant », quelqu'un qui a entre seize et dix-huit ans et que l'expérience rend crédible.

Au cours d'un prétraitement, trois objectifs majeurs sont atteints. Un travail de réflexion approfondie pendant six à huit semaines. L'affrontement à la question de l'abstinence par des « exercices de reconnaissance » et par des échanges avec des intervenants personnellement concernés, une maturation des motivations à sortir de la dépendance.

Pour la prévention comme pour l'aide au sevrage, il est important de garder à l'esprit ce que nous avons déjà dit : les enfants font ce que vous faites, non ce que vous dites. Les parents doivent être un modèle fiable.

Annexe II

Cas particuliers : le diagnostic double

Le vin bu en quantités égales avec de l'eau chasse l'anxiété et les terreurs.

Hippocrate

Hippocrate avait raison : le vin et d'autres drogues peuvent occulter des troubles mentaux. Certaines personnes peuvent mettre fin à la dépendance et révéler un profond état dépressif ou une schizophrénie qui avaient été masqués par la prise d'alcool ou de drogue. D'autres rechutent constamment à cause d'un problème d'ordre psychiatrique intimement mêlé à une dépendance chimique ou alcoolique. On appelle cela un « désordre double ».

Certains experts considèrent qu'il n'y a pas lieu de limiter le diagnostic à deux catégories de désordres. D'autres affirment que toute forme de dépendance est concernée, mais jusqu'ici l'étude des cas doubles s'est principalement concentrée sur les personnes dépendantes d'un produit.

On peut ranger dans les « cas doubles » des personnes dont même une consommation occasionnelle d'alcool ou de drogue provoque des problèmes assez graves pour relever d'un traitement.

Des études ont montré que la consommation d'alcool ou de drogue fait obstacle au traitement psychiatrique lui-même dans 75 % des cas. Donc, si une personne proche de vous a constamment des problèmes d'ordre psychiatrique, voyez quelle est sa consommation d'alcool ou de drogue. Cela peut vous redonner un nouvel espoir en ce qui concerne son rétablissement mental.

Par exemple, les schizophrènes qui boivent peuvent oublier de prendre les médicaments qui les aident à vivre normalement. Si vous prenez en considération la consommation d'alcool, la question de la prise régulière de médicaments se pose.

En 1990, l'Institut national américain de la santé mentale a publié une enquête portant sur 20 000 Américains adultes. Elle montrait que 37 % des alcooliques avaient des troubles mentaux, et que 53 % des toxicomanes manifestaient au moins un désordre relevant de la psychiatrie, ce qui était le cas de 64 % des toxicomanes en cours de traitement.

Les problèmes les plus répandus qui accompagnent la dépendance sont : la bipolarité et la schizophrénie (affectant davantage d'hommes que de femmes) ainsi que la dépression (affectant plus souvent les femmes), maladies décrites dans cette annexe. Viennent ensuite les désordres de la personnalité et les troubles de l'anxiété.

Les statistiques ne sont pas de si mauvais augure qu'elles le paraissent. La dépression, par exemple, peut résulter de l'effet des toxiques sur le système nerveux. Elle disparaît la plupart du temps au bout de quelques semaines d'abstinence.

L'usage abusif comme le sevrage de produits chimiques agissant sur l'humeur peuvent provoquer la manie, l'anxiété, la panique, la paranoïa, des hallucinations. Par exemple, les consommateurs d'hallucinogènes ou d'excitants peuvent devenir psychotiques et se comporter en schizophrènes. Les gens qui abusent de tranquillisants peuvent devenir très agités et anxieux quand ils réduisent les doses ou s'abstiennent. Traitez la dépendance, et ces états disparaissent.

Les programmes basés sur les Douze Étapes soulignent le rôle des modifications de la personnalité dans le rétablissement. Les étapes 4, 5, 6, 7, 10 et 12, en particulier, où il est question de corriger les « défauts de caractère », sont utiles pour faire face aux troubles de la personnalité.

Les personnes qui suivent un plan sérieux de rétablissement, éventuellement une psychothérapie individuelle avec le bon thérapeute, voient se révéler de multiples troubles mentaux (qu'on les nomme « psychiatriques » ou non) dès qu'elles examinent l'histoire de leur dépendance. Il peut s'agir de comportements violents, de stress chronique, de troubles post-traumatiques, d'« expériences limites » de désorganisation de la personnalité, ou les effets dus à une enfance battue ou violée. C'est pourquoi le psychothérapeute ou le consultant doit être choisi avec beaucoup de soin.

Les personnes en dépendance qui souffrent par ailleurs de profonds déséquilibres psychiques (les « cas doubles ») sont bien plus susceptibles de rechute que les autres. Mais une bonne thérapie peut aboutir à une victoire sur la double maladie.

Les propositions de ce livre visant la dépendance sont également valables pour remédier à toutes sortes de troubles psychiques. Cependant, si l'on est à la fois dépendant et atteint de troubles psychiques notables, il est hautement recommandé de chercher une aide professionnelle. Pour certains, les médicaments peuvent être nécessaires pour supporter une psychothérapie. Les désordres de type double ou multiple constituent un champ d'investigation récent.

Ce qui est frappant, quand on lit la description des symptômes de désordres mentaux mentionnés dans ce chapitre, c'est qu'ils ressemblent beaucoup aux caractéristiques des personnes en dépendance. Ce n'est que dans l'abstinence, après un certain temps de sevrage, que l'on peut savoir si les symptômes appartenaient à l'état de dépendance ou à un déséquilibre mental fondamental. Autrement dit, si vous-même (ou un proche) manifestez les symptômes répertoriés ci-dessous, ne craignez pas la maladie mentale à moins de constater que ces symptômes perdurent après un sevrage.

Ces traits ne sont indicatifs que s'ils ne sont pas dus à des substances toxiques ou des médicaments, à une maladie physique particulière ou ne sont pas les effets d'une autre sorte de maladie psychique. Ces symptômes doivent être nets et persistants, handicaper le fonctionnement normal ou causer une détresse subjective.

Dépression majeure et dysthymie

La dépression « majeure » est sa manifestation la plus extrême et la dysthymie la plus légère. Dans les deux cas, les patients réagissent bien à une thérapie visant à corriger le mode de pensée et les comportements, dont ce livre donne des échantillons, aussi bien qu'à une thérapie explorant plus en profondeur la nature des troubles. On peut aussi y appliquer la médication.

14 à 34 % des personnes dépendantes à un produit souffrent couramment de dépression ; parmi ces dernières, 35 à 69 % peuvent en souffrir à vie.

Les symptômes suivants peuvent se manifester de façon récurrente ou de façon passagère.

Symptômes de dépression majeure

Ils sont à prendre en compte quand au moins deux de ces symptômes apparaissent à peu près chaque jour, et ne sont pas dus à un choc récent.

1. Humeur dépressive pratiquement tout au long de la journée.
2. Perte d'intérêt, de plaisir, vis-à-vis de toutes activités ou de presque toutes.
3. Perte de poids importante sans poursuite d'un régime, ou gain de poids (plus de 5 % du poids initial en un mois), perte notable ou augmentation notable de l'appétit.
4. Insomnie ou hypersomnie.
5. Agitation, nervosité ou léthargie.
6. Fatigue, perte d'énergie.
7. Sentiment accablant de ne rien valoir, culpabilité excessive, disproportionnée, n'étant pas de l'ordre de la simple autocritique.
8. Difficulté de concentration, incapacité à réfléchir ou indécision constante.
9. Pensées récurrentes de suicide sans projet spécifique, tentative de suicide ou projet déterminé de suicide.
10. Absence d'un épisode maniaque (surexcitation alternant avec la dépression dans la maladie maniaco-dépressive) ou hypomaniaque (voir « Le désordre bipolaire »).

La dysthymie et la dépression majeure ont des manifestations communes mais elles diffèrent en mode d'accès, persistance et gravité. Si la dépression majeure se distingue facilement du fonctionnement courant, la dysthymie présente des symptômes chroniques moins appuyés, sur une durée d'au moins deux ans, avec des périodes d'accalmie inférieures à deux mois.

Le désordre bipolaire

Cette maladie, également appelée maniaco-dépression, se manifeste par une alternance cyclique de périodes d'abattement et de périodes de surexcitation (dites « maniaques »). Elle se déclenche habituellement avant l'âge de trente ans mais peut apparaître après cinquante ans. Dans la plupart des cas, elle s'annonce par un épisode maniaque. Environ 60 % des gens qui souffrent de désordre bipolaire sont dépendants d'un produit toxique, surtout l'alcool.

Symptômes de la manie, dans le désordre bipolaire

1. Le comportement est nettement anormal pendant au moins une semaine, la personne est constamment irritée ou bien exaltée, exagérément expansive.
2. Pendant cette transformation de l'humeur, trois ou plus des traits suivants sont présents :
— « folie des grandeurs » ou assurance exagérée,
— besoin de dormir moins important,
— flots de paroles, ou besoin de parler plus impérieux que d'habitude,
— multiplication des idées ou impression que les pensées « se bousculent au portillon »,
— distraction et dispersion (l'attention se porte très souvent sur des détails ou sur des stimuli extérieurs sans rapport avec la situation),
— accroissement de l'activité dirigée vers un but (projets sociaux, de travail, d'études, ou sexuels) ou agitation psychomotrice,
— investissement excessif dans des activités gratifiantes sans égard pour les conséquences négatives (achats extravagants, lubies de monter des affaires, paroles et gestes sexuels déplacés).
3. La perturbation de l'humeur est suffisamment importante pour nuire aux relations et aux activités ordinaires ou pour nécessiter l'hospitalisation.

Les maniaco-dépressifs sont en général soignés dans le cadre psychiatrique mais peuvent l'être aussi dans le contexte d'un traitement concernant une dépendance. Les groupes de parole, les méthodes introspectives ou de « reprogrammation mentale » peuvent les aider. Dans le cas d'une dépendance ajoutée au désordre bipolaire, un bon programme de rétablissement peut faire d'une pierre deux coups. Ces thérapies peuvent être complétées par une médication, telle que le lithium si le corps en manque.

La schizophrénie

La dépendance doublée de schizophrénie est le cas le plus difficile. La réussite du traitement dépendra du degré de gravité de ce désordre psychique.

Les symptômes de la schizophrénie

1. La présence de deux ou plus des traits suivants, si chacun se manifeste avec une fréquence notable au cours d'un mois (un seul de ces traits est suffisant comme symptôme s'il s'agit d'hallucinations visuelles ou auditives, surtout les « voix » qui font des commentaires) :
   — interprétations bizarres,
   — hallucinations,
   — désorganisation de la parole (déraillement, incohérence),
   — comportement nettement incohérent, ou bien apathie marquée,
   — attitudes négatives.
2. Incapacité de mener à bien le travail, les activités sociales ou personnelles, les relations.
3. Les dérangements persistent pendant au moins six mois.

Il est très important de consulter des spécialistes en diagnostic double parce que le traitement de la schizophrénie et celui de la dépendance s'opposent souvent. Par exemple, il est recommandé que les dépendants expriment leurs sentiments, mais ce n'est pas recommandé pour les schizophrènes. Les dépendants doivent faire face au fait de leur dépendance, mais il est déconseillé que les schizophrènes soient directement confrontés à leur maladie.

L'investissement de la famille dans la thérapie du schizophrène est d'une grande aide pour le malade aussi bien que pour la famille. La guérison procède à petits pas mais elle est possible.

Et souvenez-vous que lorsqu'un schizophrène s'abstient d'alcool ou de drogue, il est plus à même de maîtriser la prise des médicaments qui l'aident à mener une vie à peu près normale, ou même une vie réussie.

La pathologie de l'anxiété

Ce sont les problèmes psychiatriques les plus répandus dans la population adulte. Quand on se sent en danger, la réaction normale est « la lutte ou la fuite ». Votre cerveau commande à votre corps de ressentir la peur du danger, la glande médullo-surrénale sécrète alors l'« hormone d'urgence » qu'est l'adrénaline : le cœur bat plus vite, le sang afflue dans les muscles qui se tendent pour l'action, la sueur couvre le corps et vous presse de choisir une solution. Si vous réagissez ainsi à un danger qui n'existe pas, ou si vous restreignez vos activités de façon à éviter toute réaction de ce genre, vous souffrez d'anxiété pathologique ou d'une névrose d'angoisse.

L'anxiété pathologique peut prendre la forme de la panique, de la phobie, de l'obsession-compulsion ou du stress post-traumatique.

La panique

Cette manifestation de la pathologie anxieuse est la plus répandue chez les personnes en dépendance qui recherchent un traitement et apparaît deux fois plus souvent chez les femmes que chez les hommes toxicomanes. L'agoraphobie, notamment, ou peur panique des espaces ouverts et de la foule, vient au deuxième rang chez les femmes alcooliques parmi les troubles relevant du diagnostic double.

Les parents, les enfants, les frères et sœurs des patients qui présentent des troubles de l'anxiété ont tendance à avoir les mêmes.

On définit la crise de panique comme une période de malaise et de peur intenses marquée par au moins quatre des symptômes suivants, qui se développent brusquement pour atteindre leur paroxysme en dix minutes :

- accélération du cœur,
- sueurs,
- tremblements,
- souffle court ou sensation d'oppression,
- difficulté à respirer, étouffements,
- douleurs dans la poitrine,
- nausée ou réactions intestinales,
- vertige, évanouissement,
- sentiment d'irréalité, impression d'être détaché de son corps,
- peur de perdre tout contrôle, de devenir fou,
- peur de mourir,
- fourmillements, engourdissement,
- bouffées de chaleur ou de froid.

Les patients peuvent mettre fin aux crises grâce à des exercices de respiration, de relaxation, un régime sain dépourvu d'excitants tels que la caféine et la nicotine, des exercices pour réduire les tensions musculaires, des techniques pour corriger les modes de pensée. Une médication temporaire peut être nécessaire.

Les phobies

On les classe en deux catégories, les phobies « sociales » et les phobies « spécifiques ». Ces dernières consistent en une peur persistante, excessive ou irrationnelle en présence d'un objet ou d'une situation spécifique, ou par anticipation de cette présence. On peut avoir la phobie des chats, des araignées, du vol en avion, des hauteurs, ou encore des piqûres. Une phobie sociale est une peur persistante de situations où l'on est en présence d'inconnus ou de personnes peu familières, par qui le phobique se sent guetté ou devant qui il se sent maladroit, en position d'échec. Le phobique social craint l'humiliation ou le malaise relationnel.

Ces deux types de phobie peuvent mener aux crises de panique. Le fait d'éviter certaines situations ainsi que le stress expérimenté dans ces situations perturbent la vie normale, interfèrent avec le travail ou d'autres activités et avec les relations. En outre, la conscience d'avoir une phobie peut elle-même être cause de stress. (Notons que la peur de manger en public n'est généralement pas une phobie mais est en rapport avec la boulimie ou l'anorexie.)

Pour les dépendants qui souffrent de phobie sociale, il faut commencer par une thérapie individuelle avant de passer aux rapports de groupe. Il est évident que si la phobie sociale est résolue, le patient sera beaucoup plus à l'aise pour suivre un programme de rétablissement et participer à un groupe de soutien.

On peut réduire la peur des contacts sociaux par des exercices concernant les contacts par le regard, la posture, l'expression du visage, la qualité de la voix, le débit de la parole et son contenu.

Les troubles obsessionnels compulsifs (TOC)

Les cliniciens ont pu remarquer que la consommation d'alcool et de tranquillisants légers était très répandue chez les obsessionnels compulsifs.

L'obsession est la répétition de pensées, images mentales ou impulsions importunes et génératrices d'anxiété. Les obsessions les plus connues sont la peur de la contamination (l'histoire du producteur de cinéma Howard Hugues qui a terminé sa vie barricadé dans sa villa où il se faisait faire une transfusion sanguine par jour en est un exemple extrême), le doute répétitif (ai-je bien fermé la porte à clé ?), le besoin de tout ranger, les impulsions-tentations d'agresser par surprise, de scandaliser ou de provoquer une catastrophe (par exemple de battre son enfant ou de hurler des obscénités dans une église), et les fantasmes sexuels insistants (tels qu'une imagerie pornographique envahissante). Ces productions mentales, loin de servir l'adaptation à la vie réelle, la contrecarrent.

La compulsion est la réaction à l'obsession par d'autres pensées ou des actes visant à la neutraliser. Par exemple, si vous êtes obsédé par la contamination, vous allez compulsivement passer l'aspirateur à minuit, tout passer à l'eau de Javel ou vous laver les mains toutes les cinq minutes. Si vous êtes obsédé par la fermeture de votre porte, vous essayez d'apaiser cette crainte en vérifiant compulsivement, encore et encore, si elle est bien fermée.

Dans certains cas, vous accomplissez des actes stéréotypés selon des règles rigides élaborées par vous seul, sans pouvoir donner de raisons à votre comportement.

Les obsessions ou les compulsions vous détournent d'un comportement utile. Elles vous distraient, font obstacle aux tâches cognitives qui demandent de la concentration, comme la lecture ou le calcul. Vous pouvez aussi éviter les objets ou les situations qui déclenchent vos obsessions et compulsions. Cet effort restreint gravement le champ d'action.

Les personnes atteintes de ces troubles tireront bénéfice des thérapies du comportement et de la cognition (fonctionnement mental), soutenues par des médicaments. Réduire les symptômes de type obsessionnel compulsif réduit la consommation d'alcool ou de drogues, et inversement.

Le stress post-traumatique

Ce type de stress est répandu chez les gens qui ont subi des violences pendant l'enfance, ce qui est le cas de la plupart des personnes qui s'intoxiquent. Les symptômes tendent à disparaître au cours du traitement de la dépendance, quand le patient explore ses souvenirs d'enfance lors des entretiens avec un psychothérapeute. Ces souvenirs remonteront à la surface lorsqu'il se sentira suffisamment en sécurité pour s'y confronter, sécurisation qui s'installe à mesure qu'il quitte sa dépendance. Si on n'est pas dépendant à un produit, le stress de type post-traumatique se traite par la psychothérapie individuelle ou de groupe.

Les troubles de la personnalité

La désorganisation de la personnalité, les problèmes d'identité et de cohérence jusqu'aux « cas limites » se résorbent naturellement lorsque le patient sous dépendance avance dans son programme de rétablissement avec l'aide d'entretiens psychothérapeutiques. Ce qu'il y a de merveilleux dans le traitement complet d'un problème de dépendance, c'est qu'il apporte une aide considérable dans d'autres domaines de la vie.

Les troubles caractériels de nature antisociale accompagnent fréquemment l'alcoolisme et la toxicomanie, plus couramment chez les hommes que chez les femmes. Ils se manifestent dans le mépris et la violation des droits des autres. Le sujet se livre à des exactions, qui peuvent le conduire aux tribunaux, à la violence, au mensonge et n'a aucun remords quant aux effets de ses actes sur les autres.

La bonne nouvelle est que ce type de patient, dans le cadre du traitement de la dépendance toxique, peut être amené, même involontairement, à la régulation de ces troubles. À cet égard, la thérapie la plus efficace est l'examen des comportements spécifiques et des façons de penser.

Enfin, parmi les cas de « diagnostic double », se trouvent les personnes atteintes d'un handicap physique.

Au regard de la drogue, l'infirmité physique n'est pas un « cas spécial ».

Beaucoup de gens ont tendance à excuser une personne souffrant d'un handicap physique de s'adonner à l'alcool, la drogue ou autre objet de dépendance. C'est un tort, car la dépendance est le plus grave des dysfonctionnements. Elle peut d'ailleurs mener à l'infirmité physique en provoquant une maladie ou un accident.

On risque de dépenser en pure perte beaucoup d'énergie, de temps et d'argent en s'obnubilant sur le handicap physique alors que l'urgence est de traiter la maladie de la dépendance. Si l'on cherche seulement à contrôler les effets de la dépendance, la situation du patient s'améliorera peu et le personnel soignant se sentira inutile, passant par la frustration, l'irritation et l'épuisement physique et moral.

Le handicap physique est souvent regardé comme une maladie générale, impliquant que la personne handicapée, incapable de se prendre en charge, doit être régulièrement hospitalisée et doit dépendre de médicaments psychotropes pour fonctionner.

La famille, les amis et la communauté médicale considèrent souvent que sans tranquillisants ou stimulants elle ne pourrait pas supporter ce qui est perçu comme une existence misérable.

Certains de ces patients sont abonnés aux psychotropes dès l'enfance et ont vécu dans un environnement protecteur qui contrôlait leurs « doses ». Lorsqu'ils quittent cet environnement et essaient de s'intégrer à une société qui n'a pas leur handicap physique, ils ont besoin d'augmenter leurs doses pour « effacer » la différence. C'est le processus de l'accoutumance et de la toxicomanie.

Une recherche menée auprès d'autres patients dont l'infirmité provenait d'une maladie ou d'un accident survenu à un âge plus avancé a montré que la plupart d'entre eux consommaient des psychotropes longtemps avant leur infirmité.

Nombre des problèmes qui affectent la vie des handicapés, dévalorisation de soi, mauvaise hygiène, style de vie dépendant, manque de motivation, changements de personnalité, mauvaise mémoire, dépression, abandon des valeurs personnelles, isolement et chômage, proviennent, comme chez tous les drogués, de leur dépendance à la drogue et non de leur handicap physique. Ce dernier ne doit pas servir de prétexte.

Mais le changement peut être difficile pour le personnel soignant car en prodiguant la drogue il aplanit son propre malaise devant le handicap. Les comportements qui ne sont pas acceptables de la part de gens physiquement aptes deviennent permis, ignorés ou excusés chez la personne handicapée. La toxicomanie peut être encouragée comme moyen de socialisation et réparation d'une inégalité avec les « gens normaux » ou être considérée comme l'un des rares plaisirs du patient.

Les membres du corps médical peuvent estimer qu'ils n'ont pas le droit de s'opposer aux choix des personnes handicapées, même si ces choix sont autodestructeurs. Mais ils renoncent à leur propre capacité de choix en se laissant manipuler par la pression sociale lorsqu'ils permettent aux personnes handicapées d'adopter un comportement autodestructeur, ou les y aident.

Comme toute drogue, les médicaments psychotropes « remédient » aux sentiments, mais les sentiments doivent être expérimentés si l'on veut pactiser avec eux. Les personnes handicapées paraissent exprimer leurs sentiments mais leur consommation chimique les dissocie d'eux-mêmes. Le fait de soigner la dépendance accélère le réajustement émotionnel au handicap physique.

Quels sont les médicaments qui ne sont pas nocifs ?

On classe les médicaments en deux grandes catégories, la médication « de confort » et la médication « essentielle ». Font partie de la première les relaxants musculaires, qui modifient l'humeur et induisent l'accoutumance, et les narcotiques utilisés pour soulager les douleurs chroniques.

Les médicaments qui agissent sur l'humeur et engendrent l'accoutumance ne sont pas appropriés à une condition chronique. Les antidépresseurs ne conviennent que ponctuellement et sous contrôle médical.

Les personnes handicapées, devenues pharmacodépendantes, doivent chercher de nouvelles méthodes pour soulager les douleurs chroniques, le stress et détendre les muscles. La relaxation, la méditation, les régimes, les exercices, le stretching (élongation), les enveloppements froids et chauds, l'hydrothérapie, les massages sont des techniques efficaces.

Après sevrage, sur une période d'environ trois mois, les douleurs et les spasmes musculaires se réveillent, tandis que le système nerveux qui n'est plus sous influence chimique s'adapte à son nouvel état et que la production interne d'endorphines se rétablit.

Quelqu'un doit-il se réajuster émotionnellement à son handicap avant de commencer le sevrage ?

La drogue bloque l'ajustement, le traitement de la dépendance l'accélère. Les personnes atteintes d'un handicap physique qui ont le courage d'entreprendre un traitement pour en finir avec la dépendance médicamenteuse auront sans doute besoin d'aides spécifiques, pour utiliser du matériel écrit ou un magnétophone, pour circuler, pour recevoir des soins contre la douleur et la tension musculaire. Mais elles n'ont pas besoin de privilèges spéciaux.

Trop souvent, on n'attend pas des personnes handicapées qu'elles prennent la responsabilité de leurs actes. Elles ont appris à répondre à la faible attente des autres en se prenant en pitié, en se montrant impuissantes ou en ayant recours à la manipulation. Mais c'est la reconnaissance de leurs capacités qui permet à ceux qui souffrent d'un handicap de jouir d'une participation active à leur rétablissement, à égalité avec les autres.

Composition Nord Compo
Achevé d'imprimer en Europe (Allemagne)
par Elsnerdruck à Berlin le 5 mai 2000.
Dépôt légal mai 2000. ISBN 2-290-30262-7

Éditions J'ai lu
84, rue de Grenelle, 75007 Paris
Diffusion Flammarion (France et étranger)